その謎と真実を解き明かす、聖なるレイキの旅

This is 靈氣《レイキ》

直傳靈氣研究会
代表代行大師範
フランク・アジャバ・ペッター著

翻訳
高丸悦子

前書き

この本は、僕がレイキに捧げるラブソングだ。

レイキは僕の人生を変え、その形状を新たにした。この形状には形がなく、すべての生物と物質に正しい場所を与えてくれる。

レイキの本を書き始めたころ、僕はリサーチに没頭していた。あらゆる角度からレイキに光を当てて検証し、レイキをその正当な文化と見解の中へ戻してあげたい、そんな思いでいっぱいだった。胸に刺さった棘が繰り返し僕をさいなんだ。

『史実を立証し、レイキに対する誤解を解くこと、過剰な重荷からレイキを解放してあげるんだ、レイキ自身がよろけて転ばないうちに』

長い時をかけてレイキから余分な荷を片っ端から取払い、そうして最後に残ったのは、愛だった。愛が本書のページを開くあなたの心に輝くことを願っている。

本書ではまた、十八年間に降り積もった僕の経験や見識を、皆さんと分かち合いたい。

レイキとは何か、どのように作用するのか。それらについての僕の理解はこの間にさまざまな変遷を遂げてきたし、生徒さんたちや同胞の友たちとの実践を通して、少しずつ熟し実を結んできた。

序章では、レイキは魂のエネルギーであり、すべての物質と人間に流れ、人間の本質を見出すもの、という、僕のレイキ観を語りたい。日本語のレイキキーワードについても、説明していきたい。

第一章では、レイキの歴史に迫ろう。現在手元にある史実として立証可能な情報の全てと、レイキの生みの親たちの全貌を、初めて一つの章にまとめるつもりだ。

また、生涯をレイキの実践に捧げた愛すべき諸先生――山口千代子先生、臼井靈氣療法学会前会長の小山先生、小川先生、大石さん――をここでご紹介する。この方たちの知識を本書を通して学ぶことができるという皆さんの特権、それはとりもなおさず、僕自身が浴したこの上もない名誉だった。

第二章では、レイキゆかりの地、京都の鞍馬山、東京の西方寺、臼井先生誕生の地谷合《たにあい》村などを探訪する。

また、レイキの仏教的背景に第三章を割き、実践部分を第四章でお伝えしたい。

親愛なる読者諸氏、レイキの灯を世に広めるのは、他でもない皆さん自身だ。

なぜって、あなた自身がレイキなのだから。

本書が皆さんをその思いに駆り立てることを、願って止まない。

ギリシャより愛をこめて、フランク・アジャバ・ペッター

目次

This is REIKI
CONTENTS

This is REIKI
CONTENTS

This is REIKI

序章

靈氣は魂のエネルギーであり、すべての物質と人間に流れ、人間の本質を見いだすもの

「靈氣は世界を包み込み、そこに棲む生物ばかりか、地球そのものを癒すだろう」

西方寺墓地の臼井先生の石碑に刻まれた内容を、僕はそんなメッセージと捉えている。僕が知る限りでは数少ない〝実現した〟未来予想のひとつだ。何しろ世界では今、何百万もの人々がレイキを実践しているからだ。

臼井先生はこう言った。

「萬物生を享けたる者は何方でも天恵として治療の靈能を備えて居るものです」

臼井先生の時代、レイキとは「霊魂のエネルギー」を意味していた。日本では、神がひとりひとりに霊魂を授け、それが頭の中に留まり、肉体が死を迎えると、その後四十九日以内に去って「故郷」へ戻り、同じ霊魂がまた暫くすると、新しい肉体に再生しメリーゴーランドは続く、と考えられている。

霊魂、または霊魂のエネルギーは、靈授、あるいはアチューンメントにより活性され、もともとの本性や必要不可欠な性質を目覚めさせる。宗教や宗派とは無縁であり、その概念は世界中のあらゆる

文化の中に見出すことができる。レイキが万人に実践されている所以がそこにある。

かくのごとくレイキは特定の思想や宗教の影響を免れているが、日本の文化、言語、精神の産物であることは否めない。そこで、日本という文脈においてレイキを理解するために必要な用語と公理を、以下に紹介する。

「靈氣」の意味

神道の宇宙観は鳥を神々の使者と捉え、波打ち際の砂地に残る鳥の足跡を、神々のメッセージとして描き写した。

山や川などの漢字は、自然のイメージをそのまま表象したシンプルなものだが、概念を表す漢字は、いくつかの部首が合わさってひとつの漢字を成している。

靈氣という漢字の意味には諸説あるが、僕が一番妥当だと思う解釈を以下に挙げよう。

フォト1：東京西方寺の臼井先生の石碑に刻まれた靈氣の文字

靈

「靈」の字は三つの部首に分けられる。

上の部首「雨」はrainの意味。日本は火山国だ。火山灰を含んだ雨が地面を潤し、肥沃な土壌を生み出す。雨は豊穣の象徴であり、宇宙から降下された祝福や愛の象徴とも見なされる。

中央の三つの正方形は「器」containerを意味し、隠喩としては人の体、つまり霊魂の入れ物を示す。三つの正方形は別の意味にも解釈でき、ひとつならば口を、二つでは会話やコミュニケーションを、そして三つになると祈りを表す。

下の部首は「巫女」すなわち女性の霊媒師、女の魔術師、シャーマンを意味している。(フォト2参照)。

巫女は死者の霊魂と交信ができ、トランス状態において、神々と人間の間の媒体になる。靈氣を実践する僕たちが理想とすべきなのは、宇宙に身を任せ、神々の導きに従う巫女のようなあり方なのだ。

「巫女」もまた簡略化され、次の一文字になった。

巫

以上の三つの部首を合わせた漢字が意味するのは、すなわち魂。

靈

フォト2：静岡市浅間神社の巫女さん

氣

「氣」の字は二つの部首から成る。

外側は「気構え」と呼ばれる部首。蒸気またはエーテルを意味し、一般的にエーテルは実態のない磁気のような媒質と考えられている。

内側は、東南アジアの主食である米。この字の解釈もさまざまで、「炊飯時に立ち上る蒸気のこと」、「稲穂の形を象形化したもの」、「八十八という数字を表している」など、諸説ある。ちなみに八十八とは、種蒔きから食卓にのぼるまでの米の栽培期間が、八十八日なのだそうだ。

これらを合体した漢字「キ」は次のようになり、エネルギーを意味する。

氣

お気づきのように、靈氣のエネルギーと言うのは、霊魂エネルギーと言い換えてもよいが、これからは単に靈氣と呼ぼう。

心身改善臼井靈氣療法

自らが誕生させたメソードを、臼井先生は「心身改善臼井靈氣療法」と名付けた。平易に表現するならば「心と体を改善するための、臼井霊魂エネルギーによる癒しの方法」とでも言えようか。名称が長過ぎたために、日本ばかりか世界でも「臼井霊気療法」と短縮され、今では単に「靈氣」と呼ばれている。

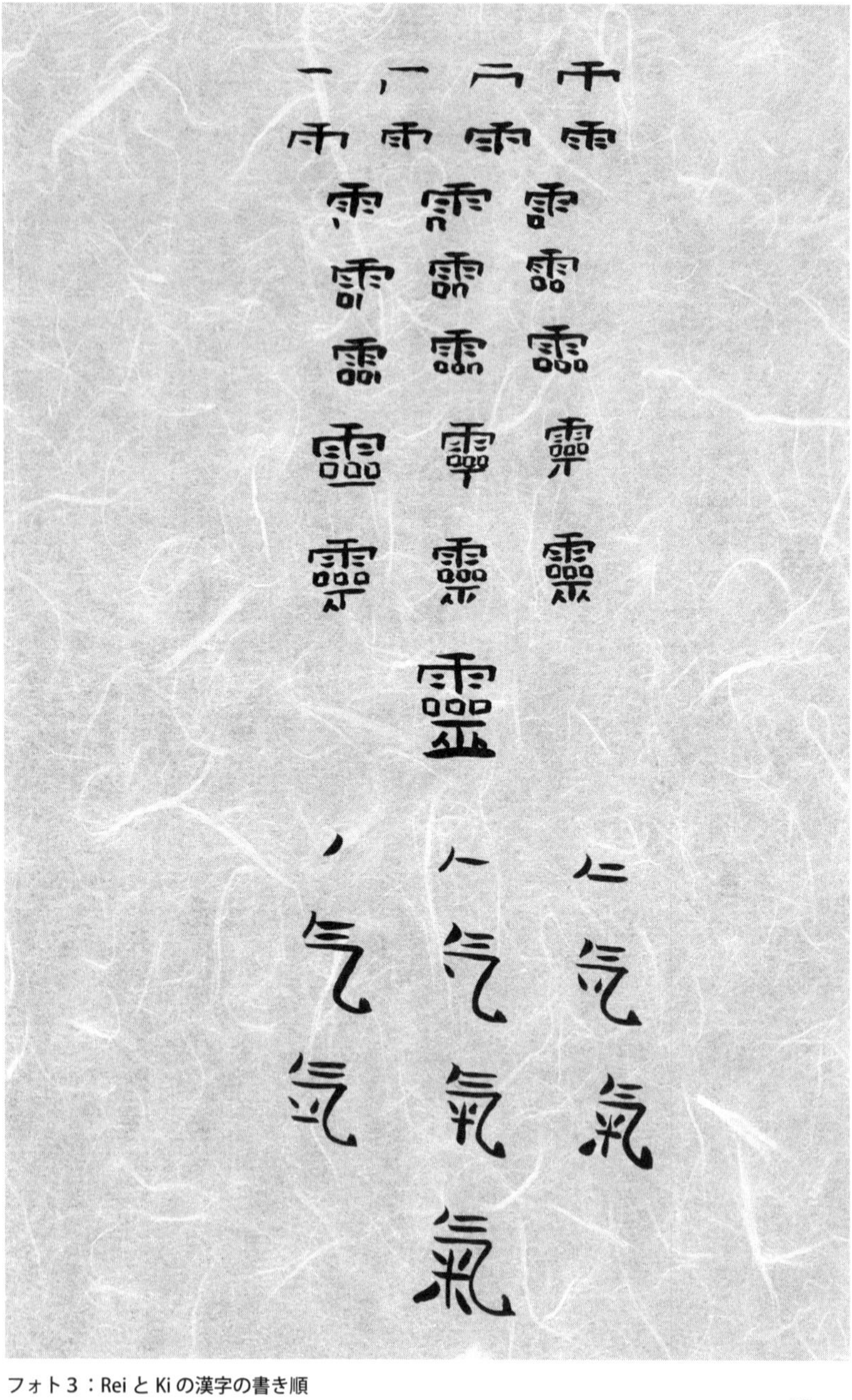

フォト３：Rei と Ki の漢字の書き順

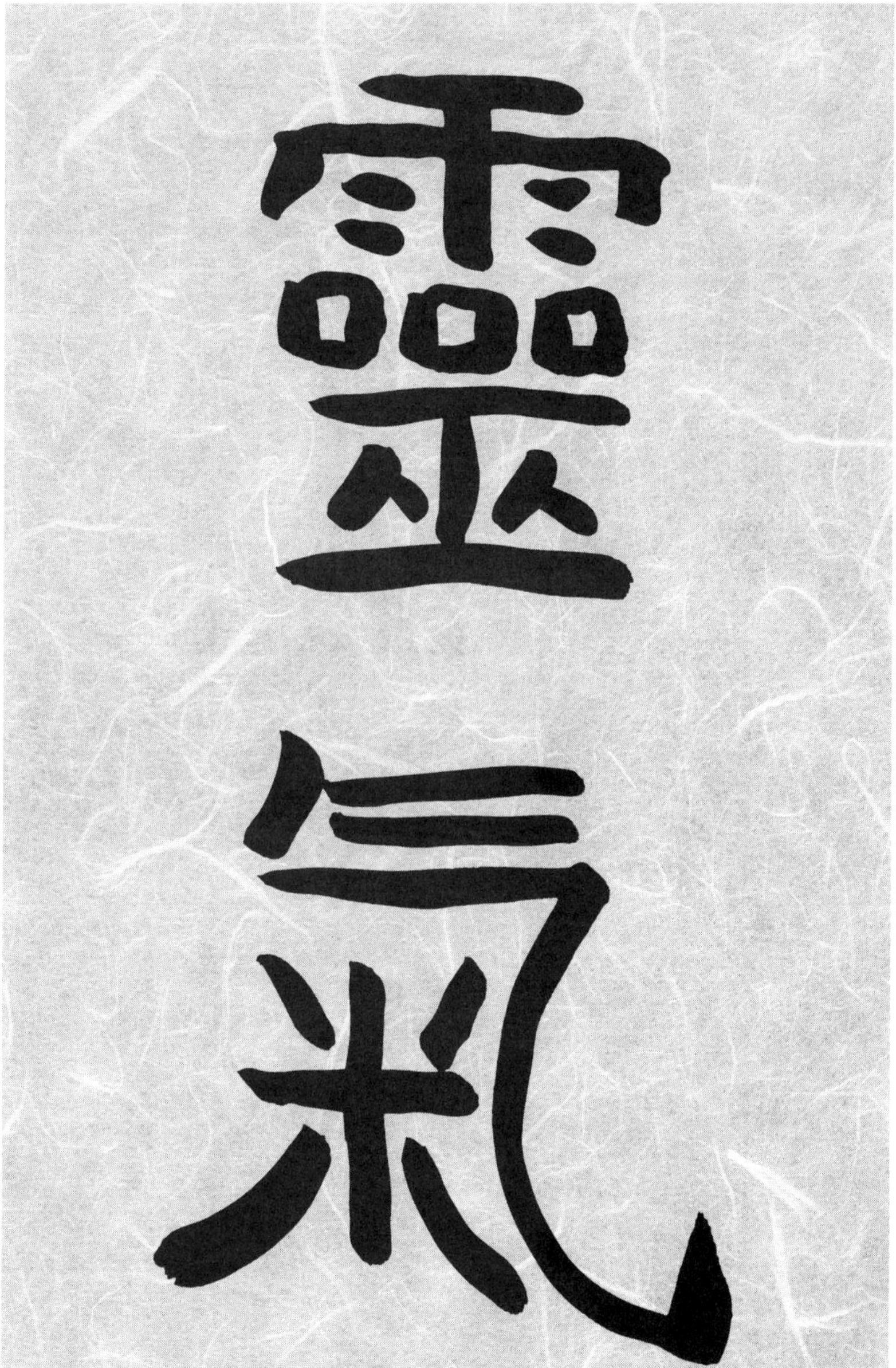
靈氣

五戒

靈氣とともに活動するうえでの倫理的な支えが、この「五戒」である。五戒は言霊《ことだま》なので、一字一句原文通りに唱えなければならない。

招福の秘法、万病の靈薬

五戒の掛け軸や文書は、こんな題名から始まる。

五戒が目指すところや、五戒を唱える人生にどんな実りがあるのかを、これは語っている。分かりやすく言い換えると、「幸福を招く神秘的な術、ありとあらゆる病に効く魂の薬」となる。

真摯な心持ちで靈氣をかけ、五戒を唱え、宇宙の意志に身を任せるなら、あなたは当然の結果として幸福になれる。その幸福感はあなたの心から放たれる光となって周囲を照らす。あなたは自分自身と周囲の人々を幸福にするだろう。

臼井先生によれば、「いかなる心身の病も、カルマが原因のものでさえ、靈氣の助けにより癒される。それは必ずしも、病がこつ然と消えてなくなることではない。病が今世での意義や目的を全うし、霊魂が来世で生まれかわった肉体を蝕む必要がなくなることが癒しである」と解釈されている。

五戒には幸福へ到る路という一面と、あなたの魂のあり方を示す図という側面がある。それを見ると、自分がどこにいるのかが一目瞭然になり、足りない働きは何か、どのぐらい向上したかに気づかされる。あなたが人生の師を求めているなら、その候補者を五戒の教えに照らし合わせてみよう。自らが説くところを実行できる人、その人こそがあなたに価値ある何かを教えることができるのだ。

今日だけは

「今」と「ここ」に思いを限定すると、日々の生活が生きやすくなる。あなたが為すこと、為さないことのすべてを「今」「ここ」においてしっかりと受け止め、愛を持って遂行しよう。酒場にいようが教会にいようが、心が導く方向に身を投じるべきだ。そうすれば、出会う人々や物の中に、神意を見るに違いない。

一、怒るな

怒りは心身を毒し、自分にも周囲にも何一つ良いことをもたらさない。二番目の教えにも付いている「な」という接尾語に、モラル上そうしろという含みは微塵もない。あなたよりよくものが見えている何ものかが、どこからともなくアドバイスを発しているという意味だ。その何ものかは無限の彼方を見通したうえで、あなたのために善かれと諫言してくれている。

二、心配すな

体と魂を毒するもうひとつの最たるもの、それは心配すること。ここでもまた、「すな」とアドバイスされている。心配したから物事が起きないわけではないし、起きるべきことはちゃんと起きる。心配から自らを解き放ち、神と靈氣を頼みにして従うのが賢明だ。

三、感謝して

感謝は、怒りと心配に対する解毒剤だ。怒りと心配に駆られたなら、まず感謝。この瞬間この行を読みながらも、感謝しよう。そうすれば心が変容を遂げる。変容するのに時は要らない、変容が起きるのはいつでも「ここ」と「今」なのだから。

四、業をはげめ（責務に忠実に、正しいことを為せ）

「業」にはカルマ、仏事、法要などの意味合いもあるが、この文脈ではむしろ世俗的に、人生があなたに求めていることを為せ、と受け取るべきだ。あなたの人生において起きることは、あなたそのものだからだ。

五、人に親切に

交差点でお年寄りの手を引くことだけが親切ではない。人の苦を終わらせてあげることもまた、親切なのだ。釈迦は生前、人生はことごとく苦であると嘆いた。それを、宿命論としてとらえるべきではない。根底の意味は、人は本来の人間性から自らを遠ざけ、自分が何者なのかを忘れてしまったがゆえに苦が生じる、という含みを孕んでいる。

靈氣を人にかけたり授けることで、あなたは受け手に霊的本質というスウィートホームへの道を指し示すことができる。それこそが、今世と来世においての生き方を示す「親切」であり、本当の深い思いやりだ。いったん覚醒した人間は、再びまどろみに引き戻されることはない……。さあ、自分自身と人に苦を与えるのは、もうこれっきりやめにしよう。

実践

「朝夕合掌して心に念じ、口に唱えよ」

五戒は、毎日朗々と唱えるとよい。五分間を自分に与え、寛いだ姿勢で座り合掌する。五戒を唱えながら、両手の感覚に意識を注いでみよう。靈授を受けたあなたなら、合わせた手の間や、心や、クラウンチャクラに靈氣を感じるだろう。

掛け軸や額をお持ちの方は、それを使い壁に掛けておく（フォト4）。先生や施術者は五戒を背にし、五戒のエネルギーの助けを借りるとよい。受け手は、五戒の方向に頭を向けて横になるのが理想的だ。

フォト４：五戒の軸を背にする千代子先生と著者

氣（き）

氣は東アジア一帯の生命観であり、説明し始めたら数冊の本になる。ここでは実際に使われている氣の用例を挙げ、氣というものが漠然とした概念ではなく、日常に根ざしたものであることを示そう。

氣はエネルギーだ。このエネルギーは通常とらえがたいが、日本人にはお馴染みさんだし、靈氣を持つ僕たちにもありありと感じられる。日本語でハッピー、あるいは不足なく心のバランスが取れている状態を〝元気〟という。元とは「本来の」という意味だから、元気とは本来のエネルギーのことだ。

体調が優れないことを病気という。病のエネルギーというわけ。負のエネルギーは邪気。心持ちは気分。良い心持ちの状態を気分が良い、逆は気分が悪いと表現する。

人のキャラクターは気性。自発性は気力。リラックスしていること、こだわらない状態は気楽。

パワフルな人を気が強い、つまりエネルギーが強いと表現するし、虚弱な人を気力がない、つまりエネルギーの力がないと形容する。

このように、エネルギーは実体を持っている。すべてのものはエネルギーなのだから、エネルギー（靈氣）にはあまねくポジティブに反応しよう。腎臓から子どものオモチャにいたるまでね。

安心立命（あんじんりゅうめい）

この語はもともと儒学に端を発し、日本の仏教徒が広めた。字義的には、「自らの定め（宿命）を受け入れる」こと、禅学においては、「完全なる内面の平和を得、現実と和し生きる」こと、浄土宗の教えでは、「安らかな平和の境地」を指している。また、仏教の伝統では「悟り」とみなされる。

靈授（れいじゅ）

文字通り、靈を授けること。この儀式が、受ける側に本来の状態（宇宙と一体であること）を思い起こさせる。靈授の瞬間から、本来備わっている魂のエネルギーが作動し、体中の細胞、特に両手、両足、呼気、両眼からエネルギーがフローする。

原則として、魂のパワーを始動するには一度の靈授で十分とされる。けれど、僕たちはあまりにも寝ぼけた精神に慣れ切ってしまった。そこで、この儀式は繰り返し行われるのが習いとなり、毎月一度の靈授を千代子先生は勧めた。昔は、靈授を受けた人々のために、靈授会が催されていた。

受ける側は座して合掌する。小山先生は、「閉じた瞼から自分の指先を見るように」「吐いた息が指先に当たるように」と指導していた。指先に全意識を集中する。信仰心に似たこの集中力が、我（エゴ）を捨て受信機（レシーバー）を切り替える手助けをしてくれる。自らの魂の存在に気づき、内なる眼で魂と直面できるようになる。躍動する魂の動きを追うと、心身が寛いで軽くなる。これを習得するにはちょっとばかり訓練が必要だ。

ひょっとして、イニシエーションが本当に必要なのかと疑っていませんか。そう、理屈的に、その疑問は正しい。宇宙の法則の一部であり、宇宙と一体であることを知覚していれば、靈授は要らないはずだ。けれど、一瞬たりともその一体感を忘れずにいられる人、いますか？

療法（りょうほう）

あとで詳しく述べるが、臼井先生の時代には癒しの方法が他にも多く存在していた。カイロプラクティックしかり、心霊療法しかり、催眠療法しかり、それらは療法と呼ばれる。

靈法（れいほう）

東京の臼井先生の石碑には、靈氣とは靈法であると書かれているが、靈氣が過去に靈法と呼ばれていたことはない。靈法とは、広義の用語だ。

靈氣の三段階の格付け

日本発祥の文化の例に漏れず、靈氣もまた整然と組織されており、その格付けは空手や柔道などの武道に類似している。臼井先生は、靈氣を三段階の格付けに分けて指導した。小川先生の言葉によると、臼井先生は受講生たちに合掌して座らせ、個々の手に触れてみてエネルギーの多寡を計ったそうだ。エネルギー不十分の者は、靈授を受ける前に知覚を高める練習を促されたという。しかし、これは受け継がれることなく、現在では誰もが無条件で靈授を受けられる。

初傳（しょでん）

初は「初心者」を、傳は「教え」または「レベル」を意味する。初傳はいくつかのユニットに分けられ、かつては各ユニットに一日ずつを要していた。例えば臼井先生は、六等、五等、四等、三等に分け、最も低いレベルが六等だった。セミナーは五日間で、より高いレベルに進みたい受講生は、数回以上の靈授会への参加が求められた。一度の受講では不十分だからというよりは、靈氣は日々の献身と努力を要するひとつの生き方だから、というのが理由だろう。

林先生の時代になると初傳は三つのユニットに分けられ、千代子先生は師である林先生の方法を踏襲した。

奥傳（おくでん）

臼井先生は、初傳を良く実践している生徒に奥傳を教授した。生徒が病腺《びょうせん》を触知できているか、病腺を理解したうえで施術をしているかが必要条件だった。病腺の章を読んでいただければ、それを会得するには時間がかかることが分かるだろう。

教える側の便宜上、奥傳は前期と後期に分けられ、林先生と千代子先生は二日間をそれに当てた。そして、初傳と奥傳は間を開けず、続けて五日間で行われた。遠方から来る生徒たちが次のレベルまで待たされないで済むように、という林先生の配慮だったと聞いている。病腺を教えるには三日間あればよく、間を空けずに奥傳に進んでも構わないと林先生は考えたのだ。繰り返しになるが、生徒たちは初傳と奥傳を再受講することになっていた。

当時は奥傳が靈氣の学びの最終段階だった。臼井先生に師事した二千人以上の生徒のうち、先生から直々に教える資格を授与されたのはわずか二十人だった、と記念碑には刻まれている。

神秘傳（しんぴでん）

「秘儀的な教え」を意味し、師範格と師範の二つから成り、神秘傳を教える資格の教師だけが伝授できる。格とはアシスタントを意味し、師範格は靈授の仕方を伝授されるが、教えてよい内容が限られている。師範格トレーニングを受ける者たちは、師と師範たちの眼差しを浴びながら内面を深める。傲慢な態度をとったり、見下す立場にのし上がったかの錯覚に陥るようでは、師範への道は開かれない。逆に、ますます人を愛し共感の心を育むならば、師はその生徒に特別の視線を注ぐ。そうした生徒は本人の希望を問わず、師範に抜擢されたそうだ。

師範のタイトルをいただくことは大変な名誉であり、一度授与されると降格することはなかった。そのため、師範の選抜には細心の省察が加えられた。一九九六年の小川先生の談によると、五百人を数える臼井靈氣療法学会会員のなかで、師範を許されたのはわずか六人だったそうだ。その師範たちにせよ、教えるのが許可されたのは学会の内部においてのみで、その慣習は今も引き継がれている。なお、フォト34（84ページ）に歴然だが、当時の師範は男性のみで、林先生が最も若く、四十七歳。臼井先生の死後は、多くの女性たちが師範になった。

先生

先生とは師のことだが、字義的には、「先に生まれた者」を意味する。日常生活のなかでも、医者、大工、ダンサー、弁護士など、技術技巧を子弟に伝える立場の人をすべからく表す呼称だ。靈氣の世界で、師範が自分を師範と呼ぶことはない。

生徒の側からは名字に先生をつけて呼ぶのが一般的だが、山口千代子氏の場合は千代子先生と呼ばれていた。彼女の生徒たちに対する親しみ深さが、そう呼ばせたのだろう。僕たちはまるで孫のようにもてなされたっけ……。それはまた、息子さんの忠夫氏と区別するための呼び方でもあり、彼は忠夫先生と呼ばれた。

印（しるし）

印はシンボルと言ってもいい。最初の二つのレイキシンボルはまさしく印だ。印のパワーはその幾何学的な形そのものに存在する。つまり、パワーを発揮するためには、記されなければならない。記すときに視覚化したり、印の名称を口にする必要はない。

言霊（ことだま）

言霊とは祝詞《のりと》に代表される神道の用語であり、靈氣の実践における常連さんだ。言（こと）とは語、そして霊（だま／たま）は魂を表している。この霊は靈氣における靈／魂と同じものだ。

つまり、言霊とは「言葉の魂」「言葉にこもる精霊のパワー」のこと。それを認識したうえで発せられる言葉には、霊妙なるパワーがこもる。神道によれば人間は神々の発した言葉の具現であり、古代には「御言《みこと》」と呼ばれた。ヨハネによる福音書もまたこう始まる。「はじめに言《ロゴス》があった……」と。

言霊のパワーはその発音、すなわち音／振動のなかにあるので、声にして発せられなければならない。どんな言葉にも精霊のパワーが宿っているので、潜在的にポジティブな考えや言葉を選んで使う責任が、僕たちにはあるのだ。

靈氣の実習の中でいくつかの言霊を使うが、それらは言霊のパワーを発露するために日本語で唱えるべきだ。靈授の前には先生と生徒たちが五戒を唱えるが、それは、内面と外界が靈授によって浄化し変容するための、大切な準備なのだ。

千代子先生に教わった別の言霊は「性癖治療」と靈授の際に使われるもので、師範格講習において初めて伝授される。それらは適正な状況において、師から生徒へ直接に伝えられるべきものなので、ここで僕が披露するわけにはいかない。

一言添えると、言霊はトランスフォーメーション（変容）を可能にする画期的なツールであり、靈氣の実践には必須のアイテムである。臼井先生ご自身が導入されたものと拝察するが、先生が設立した「臼井靈氣療法学会」で学んだ経験のない僕には、現在もこれらの言霊が学会で使われているかどうかは、言及し難い。

呪文（じゅもん）

サンスクリット語のマントラのことで、マジックフォーミュラとも言われる。

遠隔治療の印《しるし》は呪文であり、呪文のパワーはその幾何学的な形と発声／振動の両方に存在するので、発音しながら描かなければならない。

ふつう、言霊や呪文は、ポジティブとネガティブの両方のパワーを有しているが、靈氣のそれらは断じてネガティブになり得ない。浄化と元のあるべき姿に戻ろうとするポジティブなエネルギー以外は入り込めないので、どうか怖れないでほしい。靈氣は一方通行。施術や靈授のときにネガティブな念を送ることはできないし、正しくないこともできないのだ。靈氣という文字を見れば、そのことは一目瞭然だろう。それは、魂のエネルギーなのだから！

靈氣が魂を浄化するのをひとたび体験したなら、あなたの人生に侵入してくるネガティブなものを払いのけることなど何でもない。想いと感情に耳を澄まし、口をつく一言一言を噛みしめよう。そして、誰に対しても愛と尊敬とポジティブな想いを持って接しよう、今日だけは……。

丹田（たんでん）

丹田（腹、中国語ではダイチエン）は、体における重力の中心と考えられている。上丹田、中丹田、下丹田があるが、靈氣では下丹田に集中する。漢方、東洋医療、武術において、最も生命力が集る場所が下丹田だ。ヘソから指二本か三本下だが、第二のチャクラと混同しないように。

高田ハワヨ先生の日記には、丹田はレイキの住処（ホーム）であると記されている。ここで、高田先生が一九三五年十二月十日に書かれた日記の一部を紹介しよう。

高田先生の死後、お嬢さんがレイキ関連の資料を収集し、小雑誌にまとめてお弟子さんたちに進呈した。そこには日記の他に、林先

フォト5：靈（れい、あるいは、たま、魂）

生と高田先生の写真と、林療法指針と呼ばれる施術方針が含まれていた。ちなみに林療法指針については、拙著『The Spirit of Reiki』と『The Hayashi Reiki Manual』のなかに詳しい。なお、高田先生はLeikiと綴っているが、発音上はその方が正しい。

体を流れる『Leiki』エネルギーは、患者さんに集中的に与えた場合、いかなる病気をも癒します。それは薬物を用いない自然界の最も偉大な癒しであり、人間そして動物の生をあらゆる観点から助けます。私たちはまず言葉による思考と想念を浄化し、瞑想で心を集中してから、このエネルギーを身内から発するようにするといいでしょう。レイキはヘソから約二センチ下のあたりに端座します。楽な姿勢で腰掛け、両目を閉じ、合掌してレイキを待ちましょう。それから優しく丁寧に頭から順に下に向かって手を当てていきます。患者さんの方も気持ちを浄化し、ゆったりした気分で回復を希望しましょう。感謝の念をお忘れなきよう。感謝は精神にとって最大の癒しです。どんな病も、手を当てるだけで、症状が分かります。

合掌（がっしょう）

両手のひらを合わせるポーズ。正しい合掌は、左右のそれぞれの指が触れるように合わせる。手のひらの間にはほとんど、またはまったく隙間を空けないこと。両手の高さは目線、つまり鼻のやや下の、吐いた息が指先をかすめる辺り。両腕の肘と肘がくっつかないように、上腕部分と身体との間は拳か卵一個分ほど離す。そして、背筋を伸ばす。骨盤を心持ち後方にシフトすると、背筋はすっきりと伸びる。

腹部、とくに下腹部はゆるゆるにしておこう。頭、肩、首をリラックスさせ、頭はヘリウムガスで膨らませたバルーンだと仮想する。意識はあくまで手のひらと十本の指、中指に集中する。

心（こころ）

「心」の英訳はheartだが、それは日本人が意味する「心」の半分の真実しか表していない。西洋文化は人間を、身体、精神、心情という三つの部分から説明する。だが、日本人には、それが当てはまらないのだ。精神と心情は日本人にとってひとつのもの、解け合ったユニット。それが「心」と呼ばれる。僕はよく、自分の思考と感情が不可分の融合であればどんなにいいかと思う！　それは自己と世界を認識するひとつの異なった方法であり、たしかな意味を持っているのだ。

日本人の誰かが何らかの問題についてどう考え、またどう感じているかと訊かれたなら、微細な答えはすんなり出て来ないだろう。なぜなら、思考と感情は別物ではなく、それらは同一なものとして融合しているからだ。

第一章

靈氣の歴史を紐解く

人間は万物の霊長であるから、
それにふさわしく
生きなければならない。
——林先生

臼井先生と臼井霊気療法学会

臼井甕男

臼井甕男《うすいみかお》先生は、あなたにとって神秘の霧の中にほのめく天人のような存在かもしれない。だが、まずは言っておこう、彼はあなたや僕と同じように、心の平和と自由を探し求めた普通の人だったということを。残念ながら、臼井先生の私生活についてここで語れることは、とても少ない。けれど、先生の時代の政治的文化的状況をより多く知ることによって、靈氣そのものへの理解が深まり、あなたの心眼が癒しと解放のめくるめくイメージを捉え、やがてあなた自身が癒しと解放の実践者となることだろう。靈氣の由来と歴史に多くのページを割くのは、そのためなのだ。

ここからの情報は、臼井先生のお姉さんの孫に当たる中村さんから伺った。こと靈氣に関しては、僕は裏付けのある信頼性の高い筋からの情報しか、取り上げないことにしている。

靈氣はいわば家庭の常備薬だった。日本では、今日まで何万もの家庭で靈氣が実践されてきたはずだが、どこでどなたが継承しているかを探し出すのは、けして簡単なことではなかった。そんな中で靈氣の天国に燦然と現れ、本物の靈氣を僕たちに示してくれたご家族、それが山口ファミリーだった。

十八年に及んだ僕のリサーチは、数えきれない電話と訪問とインタビューの集積、そして、大石さん、小川先生、小山先生との遭遇、苫米地先生、林先生、小山先生らの文献の読み込み。それらが下地となり、ついに僕は千代子先生の指導を仰ぐ僥倖に恵まれたのだ。彼女の親切な実践指導が、僕に靈氣の歴史的、哲学的、実際的な情報を、靈氣の言葉による一冊にまとめる試みに駆り立てた。僕の努力がここに実を結んでいれば幸いだ。

先祖

臼井甕男は一八六五年（慶応元年）八月十五日、岐阜県山県郡美山町の谷合に生まれた（※現在は合併

フォト6：臼井先生の親族のひとりである中村さんを、山口忠夫先生とともに訪ねる

により山形市)。長男の父宇左衛門《うざえもん》は、米、穀物、醤油、味噌、塩、木材、炭などの卸売り小売り業を商い、いわゆる庄屋さんとして谷合では最も裕福な暮らしぶりだった。当時活躍していた新進気鋭の女流詩人下田歌子と交流があり、臼井家と歌子の家は、共に武将の末裔としての矜持を保っていた。臼井家の壁には、今も歌子直筆の短歌が飾られている。歌子という名は、彼女の希有な才能に対して昭憲皇后が授けたものだ。

河合家から嫁いだ臼井先生の母は、八十五歳の長寿を全うした。母方の祖父の名は河合ショウザエモン。生家はすでに解体され、現在の土地家屋は臼井家のものではなくなっている(フォト8参照)。

臼井先生は第二子として生まれた。第一子はシュウという名の姉で、臼井先生が上京したのちも谷合に住み続けた。シュウは臼井丈太郎(その地域には臼井という名字が多い)に嫁ぎ、(中村さんのお母さんである) 富子をもうけた。先生の二人の弟のうち上の粲哉《さんや》は伴に上京して医者になり、下の邦慈《くにし》は谷合に留まって家業を継いだ。邦慈の甥である中村さんによれば、邦慈は兄たちや姉ほど出世せず、味噌ばかり売っていたそうだ。中村さんの叔母さんの記憶では、臼井先生と姉との折り合いは、あまりかんばしくなかったらしい。

フォト7:詩人 下田歌子

祖父の代の家業だった酒造業は、一八八七年(明治二十年)に手放された。友人の借金の保証人に

フォト８：現在の土地家屋は臼井家のものではない

なったことが因果で、醸造所を売る羽目になったそうだ。その醸造所は操業停止のまま今も残っている。醸造所の縁起については、地元の寺「善導寺」境内の記録（フォト11参照）と、谷合郊外の湧き水の畔にある石碑（フォト10）に詳《つまび》らかだ。

桂水

一三五七年のある夜、臼井先生の遠い祖先である臼井《うすい》庄司郎《しょうじろう》兼牧《かねまき》の草庵に、善導寺を開山した智通《ちつう》菩薩《ぼさつ》が止宿していた。明け方にふたりは、かねて約束していた坂道で出会った。歩きながら智通菩薩は、その夜見た摩訶不思議な夢のことを話した。それは、浄土教の高祖善導大師（六一三〜六八一）が現れ、自分の遺体が村のはずれに埋葬されていると告げる夢だった。

驚いたことに、兼牧も同じ夢を見ていたので、ふたりはさっそく道具を集めてその地に向かい、土を掘り返してみたところ、善導大師の石像が出てきた。石像が出土した跡からは、清泉がほとばしり出た。天のお告げだと確信した兼牧は、その湧き水で田を耕すことにし、米を醸造する酒造りの家系が始まった。臼井先生の名前の一部である甕《みか》は酒を貯蔵する甕《かめ》のことだ。しかしながら先生は、人類に必要な別のエレキシール（※霊薬、酒）を与えられることになる。

　その酒は桂泉酒《けいせんしゅ》と名づけられ、泉は霊水として祀られた。坂道につづく道は、夢見坂と呼ばれている。

　石像はその昔、地震か地滑りなどの災害によって地中に埋もれたのだろう、というのが中村さんの見解だ。

フォト９：石像が出土し、湧き水が出た場所

フォト 10：湧き水の畔にある石碑
善導大師の霊水。善導寺開山の智通菩薩は、西暦一三五七年のある春の夜、善導大師の夢を見た。夢のお告げにより智通菩薩は、森のなかで善導大師の石像と湧き水を見つけた。この霊泉の水はまた桂水として現在知られ、こんこんと湧き出る水は涸れることがなく、霊水として崇められている。

隠住山善導寺

善導寺境内の記録の内容

　このお寺は、嘉歴三年（一三二八）に臼井庄司郎兼牧が創った草庵の場所に、高徳智通菩薩が文和五年（一三五七）に開山した。智通菩薩は、後圓院《ごしんいん》、後小松院、後醍醐天皇（一二八七〜一三三九）の戒師だった。

　智通菩薩の教えにより、二条関白藤原良基は仏教に帰依した。智通菩薩は、岐阜市の西荘立政寺を開山した。智通菩薩は文和五年に、静寂を求め西荘亀甲池に至った。

　智通菩薩は、臼井庄司（臼井兼牧のニックネーム、臼井家の十代目）の草庵に止宿した。夢のなかで、浄土教の高祖善導大師からお告げを受け、それにより石像と湧水を発見した。湧水は桂水と名づけられ、今

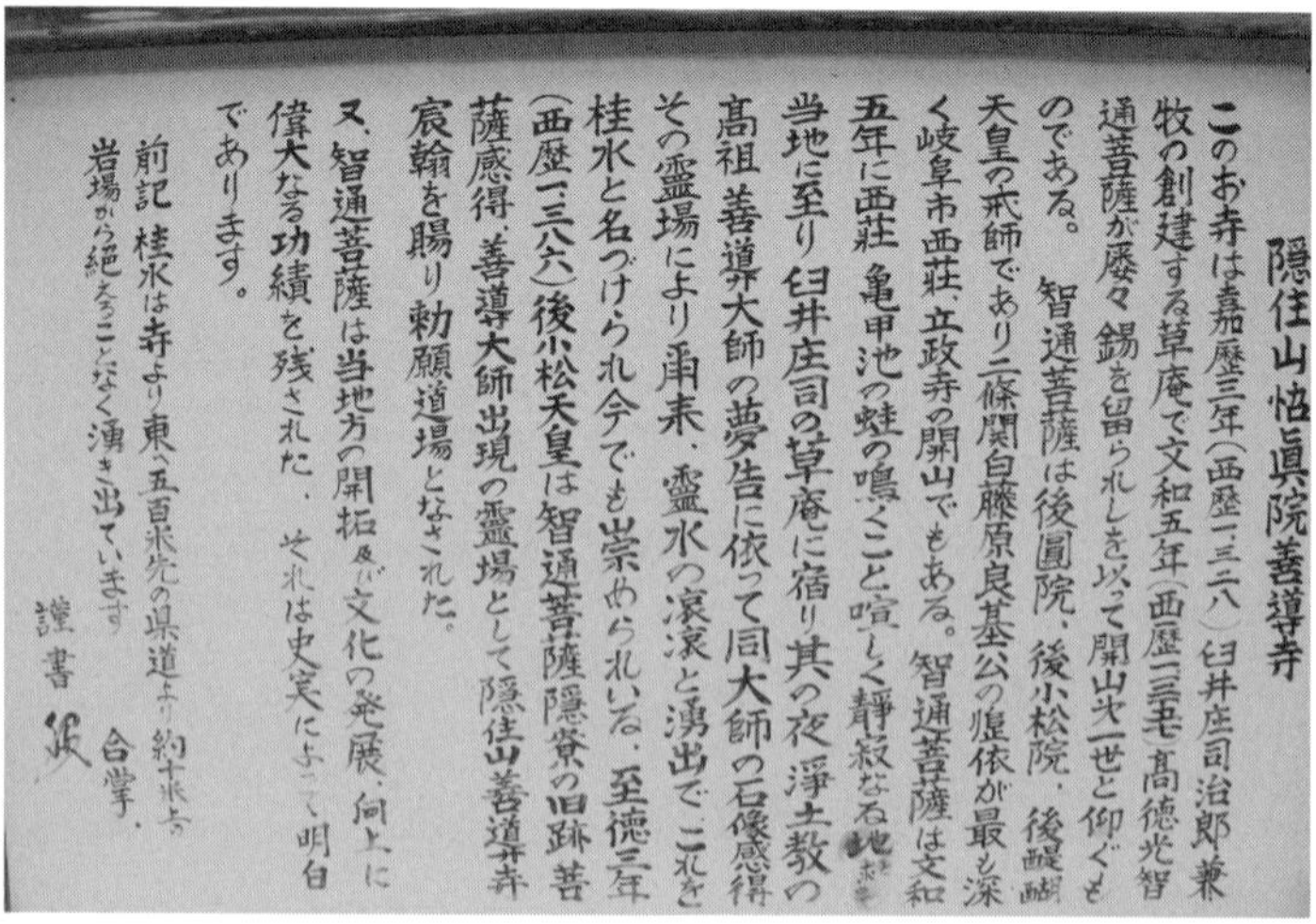

フォト 11：善導寺境内の記録の内容

フォト 12：谷合にある善導寺

にいたるまで崇められている。

至徳三年（一三八六）に在位していた後小松天皇は、善導大師が出現した跡を霊場とし、この地を隠住山善導寺と呼び、国家鎮護、皇室繁栄を祈願する祈願寺とした。

智通菩薩がその地方の開拓、文化の発展向上に偉大な功績を残したことは、史実に明白である。桂水は寺より五百メートルに位置し、岩場から絶えることなく湧き出ている。

善導寺境内の湧水の前にある碑文の内容

岐阜の名水五十選に選定されている。寺を開山した智通菩薩が夢で善導大師のお告げを受けたときに湧き出した。この水を飲むと「今生においては心の平和が得られ、来世は浄土に招かれ、臨終の折には安らかに往生できる」という功徳があり、往生の霊水として崇められている。

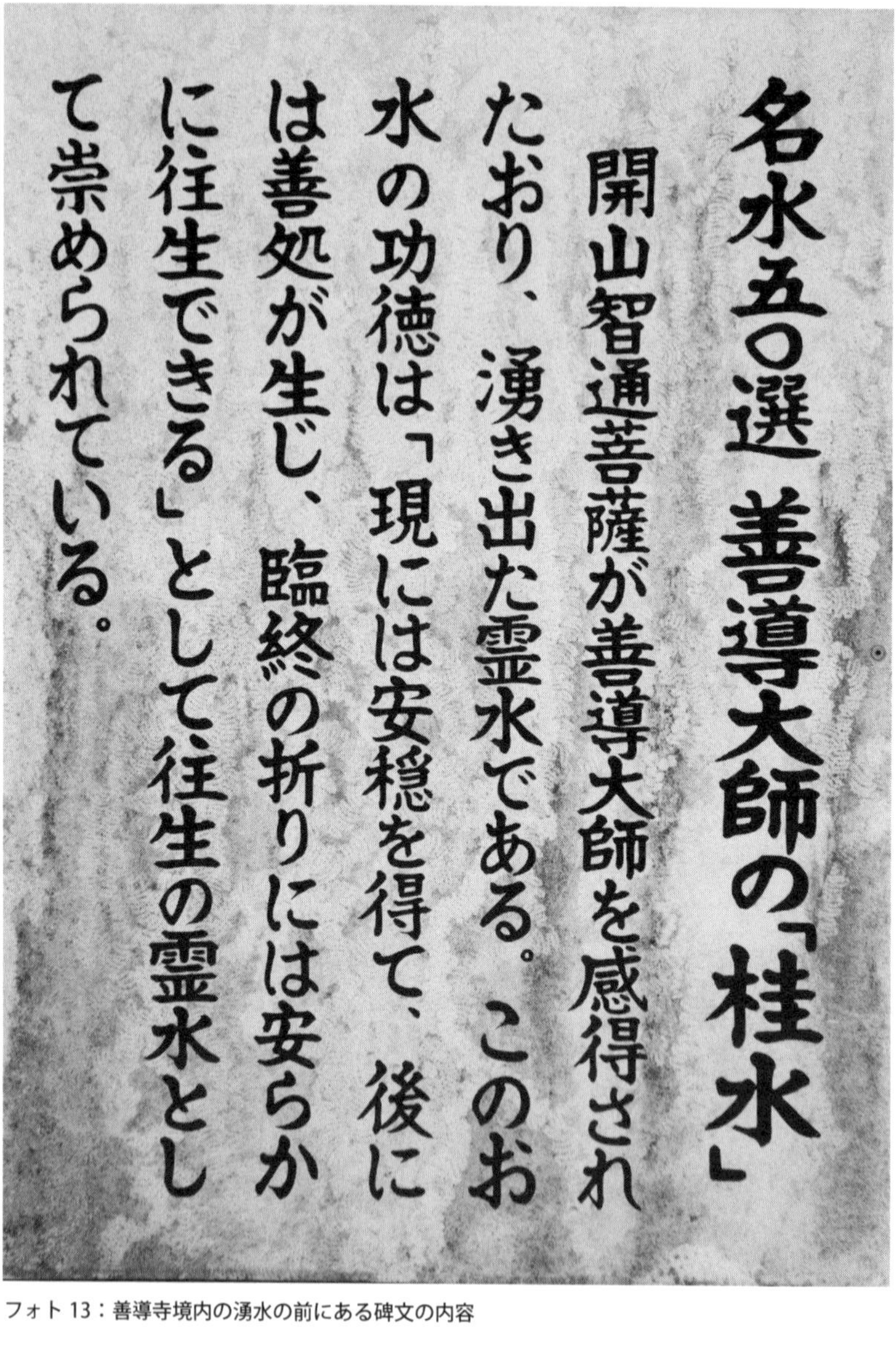
名水五〇選 善導大師の「桂水」
開山智通菩薩が善導大師を感得され
たおり、湧き出た霊水である。このお
水の功徳は「現には安穏を得て、後に
は善処が生じ、臨終の折りには安らか
に往生できる」として往生の霊水とし
て崇められている。

フォト 13：善導寺境内の湧水の前にある碑文の内容

臼井先生の生誕の地

谷合は、岐阜県の山間に佇む静かな村だ。およそ八百年間、千葉の出である臼井氏一族の権力下にあった。功徳の碑に刻まれているように、臼井一族は下総（現在の千葉と茨城の間）の千葉氏を率いた武将で、後白河法皇の時代に大名にのし上がった千葉常胤（一一一八〜一二〇一）を祖先と仰ぐ豪族だった。千葉常胤はまた、一一八七年、京都の洛中警護においても功績が認められ、歴史に名を留めている。

十三世紀、臼井一族は、行政上の理由で千葉を出ることを余儀なくされ、十代目を預かる臼井兼牧を旗頭に、五百キロメートルかなたの谷合の地に移り住んだ。鎌倉時代には谷合の山中に城を構えていたが、現在は消失している。

中世、富豪の一族は大名と呼ばれた。始めは武士階級のみだったのが、やがて商人や荘園領主もまた、大名の称号に浴した。大名同士は権力と領土拡張に明け暮れた。臼井一族もまた谷合の二大敵対勢力が拮抗する渦中にあり、臼井兼郷（十七代当主）がトキワダという支配者と手を組むと、兼郷の息子の兼台が敵方のサイトウ側につくという具合で、そうすることで、どちらが勝っても臼井の家が絶えないよう計らわれた。

臼井光兼と五人の息子らが当主の時代、臼井一族は四百年前の勢いを取り戻した。臼井甕男はこの光兼の直系子孫に当たる。

青年時代

一八七〇年当時の谷合には学校ひとつなく、寺の学校である寺子屋が教育の場だった。僧侶や尼僧に育てるのが目的ではないにしても、寺子屋で仏教色の濃い教育を臼井先生が受けていたことは間違いない。それは、後の臼井先生の精神世界を形作る大きな基礎となった。先生の寺子屋は善導寺（フォト12）で、臼井家の祖先が（私財を投じて）十四世紀に改築したものだ。前述したように、善導寺

フォト 14：谷合の善導寺にあるキリークのシンボルが刻まれた臼井家の墓

フォト 15：臼井家のご先祖が永眠する善導寺の墓所

は廬山の慧遠《えおん》（三三四〜四一六）が開いた中国の浄土教に属し、阿弥陀仏の極楽浄土に成仏するのを主眼としている。阿弥陀仏はサンスクリット（梵字）で、靈氣の性癖治療のシンボル（印）である愛すべきキリークによって表される。

浄土教の浄土五祖のひとりが、臼井兼牧の夢に出てきたあの善導大師であり、谷合の寺にもその名が付けられた。現在のご住職さんは四十一代目に当たる。

臼井家の先祖は皆浄土教に帰依し、善導寺の墓所で永眠している（フォト15）。臼井先生ご自身も東京の浄土宗の寺に眠り、会員登録から浄土宗の会員だったことが証明されている。

善導寺以外の谷合の寺の多くは、禅宗に属している。臼井先生が禅の教えにも通じていただろうことが、後々大きな意味を持つことになる。

寺子屋を終えた臼井先生は、隣町の学校に進んだ

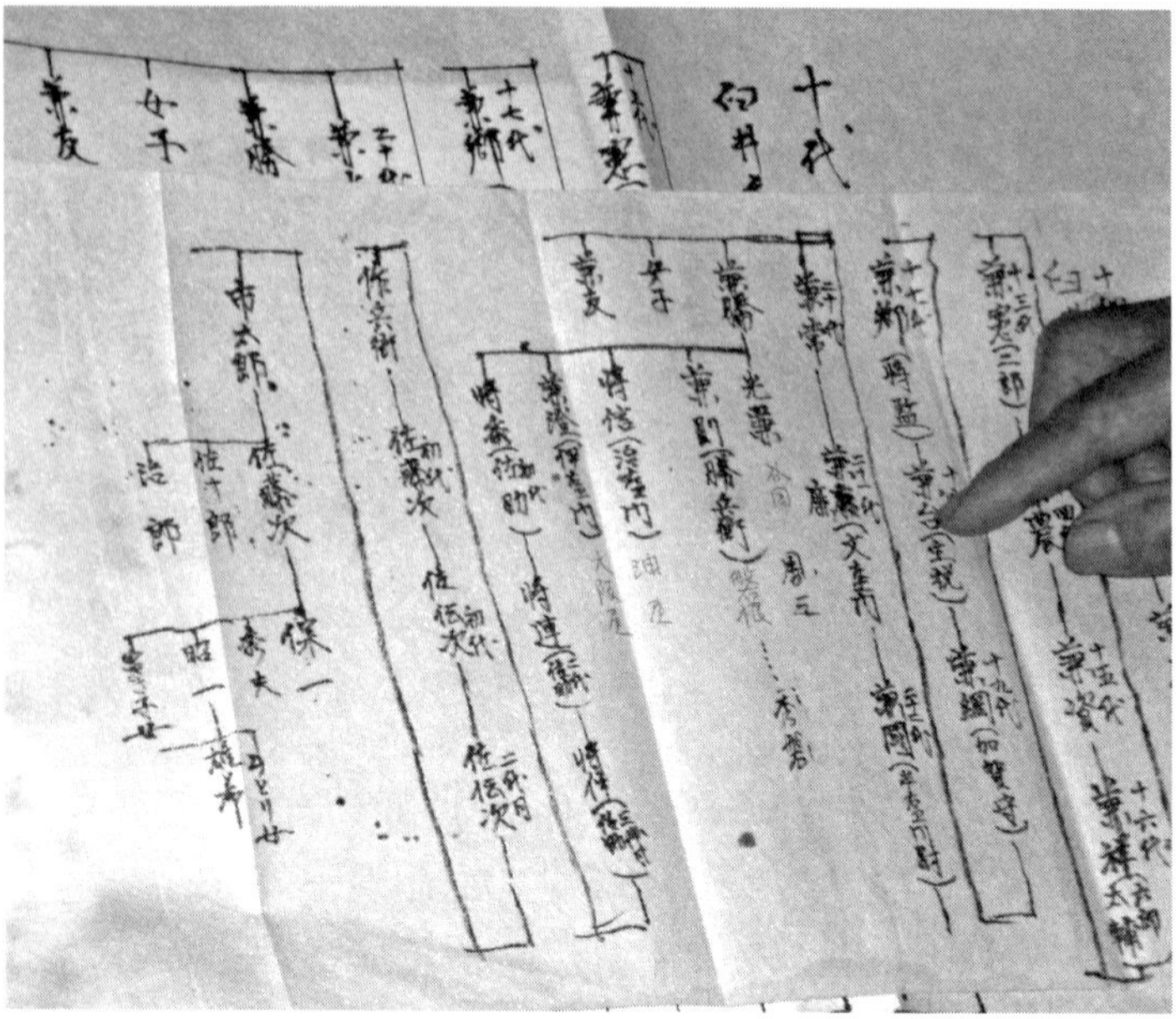

フォト 16：中村さんが臼井家の家系図の臼井甕男さんを指差している

と思われる。後に妻となる鈴木貞子の住む町だった可能性が強いが、学校名は分かっていない。

　この辺りで臼井先生の消息はふっつりと途絶えてしまう。鈴木貞子と結婚し一男二女をもうけたこと、長男は一九〇八年生まれで不二《ふじ》といい、一九一三年誕生の長女の名はトシコだったこと、不二は一九四六年に三十九歳で、トシコはさらに若くして一九三五年に亡くなり、西方寺で両親とともに眠っていることなどが、わずかに知れるのみだ。

　長女のトシコが嫁いでいたかどうかは分からないが、不二は結婚し息子がひとりいた。僕はその息子さんと二〇〇九年に少しだけ話をしたのだが、祖父のことは何も知らされていないとのことだった。

職業

臼井靈氣療法学会の前会長小山君子先生によると、臼井先生はいくつもの特殊な職業を遍歴していた。ある時期には新聞記者をしていたらしいが、どの新聞社に勤務していたかは不明だ。のちに、刑務所の受刑者を教導する教戒師、ソーシャルワーカー、会社員、神道の布教師などを経て公務員に至ったらしい。

後藤新平伯爵

小山先生によると、臼井先生は当時もっとも傑出した政治家後藤新平伯爵の私設秘書をしていた。伯爵は一八五七年七月二十四日か二十五日に岩手県で生まれ、一九二九年四月十三日に亡くなった。福島洋学校で医学を学び、ドイツのハイデルベルクでさらなる教育を受けた。

後藤は政治の世界に進出した。内務省衛生局で官僚として行政を預かったのち、局長に抜擢された。日清戦争勃発の一八九五年からは、帝国陸軍において帰還兵の検疫を取り締まる陸軍検疫部事務長官を務め、一八九八年には台湾の民政局長、一九〇六年に南満州鉄道初代総裁に就任、一九〇八年に鉄道員総裁、後に逓信大臣、内務大臣、一九一八年に外務大臣、そして一九二〇年からは東京市長を歴任した。関東大震災後、大規模な区画整理と復興計画を立案したが、予算が承認されず全面的には実行されなかった。後藤の計画が完全に実現していたなら、戦時中の空襲による死傷者の数ははるかに少なかっただろうと言われている。

後藤は第一級の政治家であり、数々の進歩的な機関を創設した。地震観測所やリサーチ機関を設け、ボーイスカウト日本連盟の初代総長を務めた。近代空手の開祖である船越義珍《ふなこしぎちん》と親交があり、彼に送った後藤の手になる流麗な書が『錬胆護身空手術』という本に掲載されている。

フォト 17：後藤新平伯爵

岩手県に後藤の記念館があるが、残念ながら、そこで臼井先生に関する記録は見出せない。

後藤新平と長年関わったことにより、臼井先生は帝国陸軍や政府官僚との太いパイプを築き、それが後年、靈氣が広まるための大きな原動力となった。後藤新平と公務に携わっていたという記録はまた、西方寺の功徳の碑にある渡航の事実を説明してくれる。当時の日本で、一般人の渡航はまずあり得なかったことを考えるなら、臼井先生の渡航が自らの精神世界の探求などではなく、公務員としての職務だったと推量するのが自然だろう。

後藤新平の随行員として実際どんな仕事をされていたのか、小山先生によると、いわゆる鞄持ちだったそうだ。

政治の世界に続いて、臼井先生は自営業を立ち上げたらしいが、職種は分かっていない。小山先生が知る範囲では、その起業のために莫大な借金を負い、ついには倒産した。

長男の不二が家督を継いだと墓碑に書かれている。が、それが靈氣に関わるものだとは言い切れない。

僕たちはこれからもあらゆるツテを頼り、新たな事実を追跡する必要があるだろう。

靈氣の歴史が始まる

事業の失敗は臼井先生に少なからぬ痛手を負わせ、自分とは何かという疑問へと駆り立てた、と小山先生は推察する。生かされているのはなぜか、天からの使命とはなんなのか、そうした根源的な疑問に臼井先生はとらわれていった。そして、究極の心の平和である安心立命《あんじんりゅうめい》を得ることが人生の目指すべきものだと考え、一九一九年からの三年間、京都の禅寺に籠り瞑想修行に励んだ。それがどの禅寺かを追跡するのは難しい、なにしろ京都には数百を数える禅寺があり、臼井という名は珍しくないのだ。また、日本の男子はある年齢に達すると禅寺で修養するという伝統があったため、臼井先生のように得度を受けずに寺にこもることが許されている。

三年の修行を終え、臼井先生は禅師に尋ねた、曰く、自分は探し求めているものに未だ辿り着いていないと。禅師は、臼井先生が三年かかってなお開けなかった悟り（安心立命）を得るには、たったひとつの方法しかない、それは死んでみることだ、と答えた。自我の消滅ではなく肉体の死の行程を、禅師は訴えたのだった。肉体が死滅する過程で精気が分解するとき、真の求道者ならば本来の姿に回帰する。僕にはそれがアジア諸国に共通の考えのように思える。死こそが、悟りへの最終的な道だという考えだ。

禅宗の派の中には、悟りに適した時期を打ち出しているものがある。それは、十九から二十一歳、二十七から二十九歳、三十四から三十六歳、四十一から四十三歳。この時期を過ぎた者は、究極に到達するためにより深刻な方法を取なければならない、というのだが、くれぐれもご自分に当てはめないでくださいね！　悟りを得やすい環境を整えるぐらいのことはできそうだが、リンゴは熟したときに落ちるのだし、熟さなきゃ落ちないのだ。

仏教のある宗派では、悟りに至るための三つの要因を、以下のように挙げている。

一、

寺院で修行するか、自らに孤独を強いる自力の道。寺の暮らしを甘く見てはいけない。日常生活がちゃんとできない者の逃げ場だと思ったら大間違い、とでも言うべきか。寺に籠る目的は自我を捨てることだから、それを可能にする方法は、睡眠を断つ、長期の瞑想、汚れているわけでもない壁や床を磨く、過酷な肉体労働、世俗の愉しみを断つことなど。また、菜食により体と心を堅固に保ち、悟りの瞬間に備える。他にも、読経、写経、題目を唱えること、聖典の解読など、さまざまな精神修養が用意されている。

禅寺での坐禅は、無言で座す参加者の間を直堂と呼ばれる監督者がゆるゆると歩き、眠気や気持ちのゆるみが生じた者の肩甲骨の間を警策という木製の棒でぴしゃりと打つ（日本での必体験！）。臼井先生はこうした修行の数々を実践した。それにも関わらず、切望していた結果は得られなかった。

二、
次の三つのうちのどれか、あるいは混じり合ったものが、トラウマを形成する。
―事故や病気による肉体的な傷
―離婚や愛する者との死別などの過酷な運命から受ける心の傷
―経済的な困窮、破産、失職などによる精神的打撃
人はこうした困難の渦中で寄って立つ場所を揺るがされ、突然、超越した状態に至ることがある。

三、
あなた自身の死を通した悟り。死につつあるとき、体を満たしていた精気が分解していく中で、瞑想者は真理を体験し、離脱した状態で死を迎えることがある。

セットアップが可能なのは一番目だけ、二番目のトラウマを招く方法はあまりにも危険だし、しかも悟りの確証はないので、くれぐれもご家庭でお試しにならないように！

三番目に関しては、どの派にも共通した究極の方法だ。（僕がこう言ったってことは忘れてください。これもまた、ご家庭でお試しなきよう！）

インド、日本、タイなどを回っていると、死を賭して断食修行する仏陀像によく出会う。歴史上の仏陀はまさにそれを実践し、沙門と呼ばれる男性修行者たちと共に心身を痛めつける苦行を続けた。

ある日、仏陀は苦行の虚しさに気づき、ガヤー村の菩提樹の下に座し

フォト18：鞍馬山の魔王殿

て、大吾を得るまで、あるいは死が悟りへと導いてくれるまで立ち上がらない覚悟のもとに観想に入った。

臼井先生はこの仏陀の例に倣い、死を賭した断食に入ったのだ。

時は一九二十二年三月、場所は京都の北に位置する霊山鞍馬山の山中。特別な瞑想法による断食であったかどうかは分からない。他の巡礼者たちと接触しないよう、風雨にさらされた野宿ではなかったかと想われる。

九十年代のあるとき僕は、鞍馬寺の関係者に、鞍馬寺では三週間もの静修瞑想を人々に奨励しているのですかと尋ねたことがあるが、寺としては今も昔も将来もそんなことはあり得ない！　とのお答えだった。

小山先生の談：「臼井先生は鞍馬山でおよそ二十日間、まったく無心の状態で合掌瞑想を続けられました。旅路の最終日、先生が求めて止まなかったことがついに起きたのです。小堂（フォト18：奥の院魔王殿）の中で、先生は意識を失いました。どのぐらいの時が経過したのか分からないまま、意識を取り戻したときには体中に凄まじいエネルギーがみなぎるのを感じました。かつて一度も味わったことのない深い安息感に癒され、心身が光とエネルギーに満たされていたそうです。先生は、こうして靈氣と出会われたのです。これこそが、禅師が説くところの安心立命なのだろうか、と先生は考えました。そして、その体験が先生の人生を根底から変えることになったのです」

フォト 19：貴船村を流れる川

フォト 20：根が地表に張り巡らされている鞍馬山

悟りの後

臼井先生はその悟りを禅師にたしかめるべく、断食を解いた。悟りが期待通りのものであるや否や、東洋の伝統ではその真偽を先達の判断にゆだねるべきとの考えがある。インドでは、三人の先達に問うのがよいとされる。なるほど、心とはやっかいにして想像力たっぷりの代物、たとえ汝らよりはるかに聖なる悟り人たちの心であっても！

小山先生の話は続く「臼井先生はせせらぎを求めて下り始めました。（アジャバのコメント：おそらく鞍馬山の麓の貴船村を流れる小川のことだろう、澄んだ豊かな川だ。フォト19）途中、つまづいて足の指の爪がはがれたとき、先生はとっさに手を当てました。摩訶不思議なことに痛みが消え、血が止まりました。（アジャバのコメント：鞍馬山は北山杉という千年杉が密生し、根が地表に張り巡らされている。フォト20　臼井先生は下駄を履いていたに違いない）集落で、歯痛に苦しむ娘に出会うと、先生はさっそく癒してあげました。先生は癒しの術を探し求めたのではなく、与えられたのです」

それから禅寺に禅師を訪ね、それが真の悟りであるかどうかをたしかめてもらった。禅師は、その悟りは教え広められるべきであり、副産物であるその不可思議な癒しのパワーは、人類のために広く使われるべきだと先生を諭した。

臼井靈氣療法学会

臼井先生は再び市井に戻り、「心身改善臼井靈氣療法学会」を設立した。小山先生は、この学会が宗教団体ではないこと、臼井先生が靈氣をセクト（宗派）やカルトに変えなかったことが、いかに偉大な決意だったかを、繰り返し僕に訴えた。

小山先生はまた、学会の目的は靈氣の力を崇敬し、日々ひたすらに靈氣と自己に働きかけることだと言った。靈氣療法を実践することは、万人の幸福と健康と繁栄を願うことに他ならないのだと。

学会の会員について小山先生はこう語った。

「会員ひとりひとりが人格を形成し心を浄化すべく努力しています。健康を保つためによく養生をし、正しく食べ、よく眠ることを心がけているのです。日々自己靈氣をかけます。靈氣は体中どこにでも効き、免疫力を高めます。内臓の働きを活発化し、新しい細胞の生成を促進するので、医療や手術に頼る必要がなくなります」

臼井先生は、鞍馬山体験の一ヶ月後に靈氣を教え始め、道場を東京の明治神宮(明治天皇を祀る神社。フォト21参照）にほど近い原宿に設けた。学会の本部は、東郷神社（フォト22参照）の辺りにあったと考えられている。

安心立命を得てから学会を創設するまでの期間が、僕には謎だった。一ヶ月では短かすぎると思ったからだ。

京都での三年間の禅寺修行について初めて聞いたのは、一九九四年に小川二三男先生からで、のちに千代子先生と忠夫先生がその事実を裏付けしてくれた。悟りの体験を一ヶ月以内に現実の活動に立ち上げるなんて、とてもあり得ない。そういうことには、時間がかかる。師の助けを必要とし、一度粉々に砕けた自分の

フォト 21：雨の日の東京の明治神宮

破片が、再び一体化するのを待たなければならない。だから、臼井先生が三年間の瞑想期間を経ていたことを知って、僕の疑問は解決した。先生は、神秘的体験への準備をすでにすっかり整えていたのだ。それは唐突に来たわけではなく、長い旅路におけるさまざまな神秘体験のひとつだったと、考えていいのかもしれない。

靈氣が広まる

臼井靈氣療法学会は、目を見張る躍進を遂げた。後藤新平の秘書として帝国海軍の軍艦に同乗しては渡航を重ねていた頃のご縁か、海軍や陸軍の上層部とはすでに面識深く、そうした将校たちが靈氣に感心を寄せていった。

フォト22：東京原宿の東郷神社

一九二十年代という土壌は世界中にスピリチャルな運動を培ったが、日本でもそれは例外ではなく、さまざまな心霊的な運動が勃興した。

明治時代（一八六八〜一九一二年）には政策として国家神道が生まれ、天皇は天照大神の現人神だと言説化された。

フォト23：明治天皇

仏教と他の宗教は力ずくで押さえ込まれた。僧侶や尼僧は捨教を強要され、仏教施設は次々と破壊されて廃寺となった。殺人や拷問が横行し、古来、神道と融合していた仏教の概念は見事なまでに分離された。

明治天皇と明治政府は西洋に門戸を開いたが、この政策は国内を一様に利するものではなかった。農民は農地改革や貧困に悩まされ、現状を憂いた多くの知識人が、日本古来の文化遺産の再評価を希求していた。

大正時代（一九一二〜一九二六年）

に入ると社会矛盾はいっそう深まり、市民運動や労働争議など、体制打破の気運が顕在化した。心霊療法家たちの最もパワフルなグループは、一九二〇年代に入ると非合法とみなされ、リーダーたちが相次いで投獄されていった。なかでも大本教は、当時もっとも由々しき冒瀆があったとして不敬罪に処せられた。

臼井先生が明治天皇への忠誠を掲げ、天皇の教えを守っていた理由は、こんなところにもあるのかもしれない。明治天皇の数多い御製（和歌）の中から選んだ百首を靈氣の教科書に載せていたほか、すでに崩御していた明治天皇の人徳を慕う発言を、常々繰り返していたという。靈授（アチューンメント）のときにも、先生は師範らと共に天皇の御製のひとつを唱えていたそうで、のちに林先生がこの習慣を受け継いだ。功徳の碑には、明治天皇の遺訓をしっかりと心に留めるように、という先生の言葉が刻まれている。小川先生の言によると、臼井先生と明治天皇はあたかも父と息子のような関係だったそうだ。

政府は、一九二〇年代の手当療法を違法とみなし、有医師免許者だけに「癒し」を認可した。そこで、多くのスピリチャルグループが宗教法人に様変わりしていった。宗教団体が精神的癒しを行うことは合法であり、法律上のトラブルを避けられるからだった。

臼井靈氣療法学会は立憲性に異を唱えず、師範や会長のうち三人が海軍の少将や中将だったことから、政府のお咎めを免れていた。明治天皇を尊び、派閥やセクトから無縁な靈氣は、当時の難局に耐えうるものだった。

フォト 24：1923 年関東大震災

関東大震災

一九二三年九月一日、史上最大規模の地震が東京湾一帯を揺さぶった。東京、横浜、鎌倉、熱海、小田原、伊東、箱根、宮ノ下、横須賀は信じ難い光景を呈し、死者数十万以上、百五十万人が家を失った（フォト24）。東京と横浜だけでも三十六万の家屋が、全体として七十万戸が全壊または焼失した。

後に関東大震災と命名されたこの地震の二次災害は火災で、強風にあおられた火災旋風が地上のことごとくを焼き尽した。地滑り、津波による被害がそれに追い打ちをかけた。

東京府の医療機関は灰燼に帰し、機能しているわずかの医療施設だけでは押し寄せる被災者に対応しきれないという状況下で、人々は医療以外の癒しを求めた。

臼井先生と靈氣の存在を一夜にして全国に知らしめたのが大震災だったとは、何とも哀しく皮肉なことだが、この世は善悪を基準に動いてはいないし、生と死を別々なものとしているわけでもない。何千もの命を奪った災害が、何百万もの命を将来的に癒すこともあるのだ。

真の恐怖は、数日間猛威をふるい続けた火災だった。本所の陸軍被服廠《ひふくしょう》に避難した四万人以上の人が焼死した。一方、浅草の浅草寺に難を避けた十万人ほどの人々は奇跡的に助かった。観音さまへの信仰が大火災を鎮めたのだと、人々は信じた。

小山先生によると、苦しむ人々があまりにも多いので、臼井先生は一度に五人の患者を治療した。片手でひとり、もう片方の手でひとり、右足でひとり、左足でひとり、そしてひとりは凝視によって癒した。それでも間に合わないときには、数名のグループ全体に靈氣をかけたそうだ。

フォト 25：牛田先生

二代目会長の牛田先生（フォト25）は、臼井先生のこの渾身の奮闘を七人の師範とともに援護した。大震災が靈氣の歴史を変えた、と小山先生は言う。一九二三年の九月以前、靈授の仕方は臼井先生以外誰も知らなかったが、震災後、臼井先生は生徒の中から先輩格を八人選び、靈授の仕方を伝授した。伝授された者たちは震災の傷跡を何ヶ月もかかって歩き、苦しむ人々を癒し、必要なときには靈授をして回った。小山先生によると、その数は数十万人に昇ったそうだ！

フォト 26：谷合の天鷹神社の鳥居

谷合への帰還

同年、臼井先生は谷合に戻り、天然石造りの鳥居を天鷹神社に寄贈した。それは、故郷に錦を飾る以上の深い信仰心に根ざした行為だ、と小山先生は言う。鳥居（フォト26）には寄贈者の臼井先生（フォト27）と、粲哉《さんや》と邦慈《くにし》の二人の弟さんの名前（フォト28）のほか、臼井先生の東京の住所「東京市麻布区森本町」が彫られている。

　この天然石の鳥居は石工スギウライソジローの作で、制作運搬を含めた全費用はおよそ百万円と概算されている。二十円あれば一ヶ月食べられた時代に、それは途方もない金額だった。中村さん（臼井先生の姉の孫）が臼井先生の生涯について調べ始めた動機は、いったいどうして大叔父はその鳥居を寄贈できたのだろう、どんな生業を立てていたのか、という素朴な疑問だったそうだ。谷合の近辺に石切り場はない。中村さんの推測では、その天然石は愛知県岡崎市の石切り場で切り出されて運ばれてきたものらしい。この一事だけでも、十分功績に値するだろう。一九二三年（関東大震災）までには、おそらく谷合にも臼井先生の靈氣療法が伝わっていた、と中村さんは言う。

大震災後

大震災後は政治をとりまく状況が緊迫化し、震災前の西洋への解放政策は、一転して東洋への接近へと変質した。深い衝撃のさなかで、人々は自らのルーツと文化を再発見しようとしていた。それが、靈氣の伝播にとってはプラスの作用として働いた。例えば、神懸かりの岡田茂吉は著書の中で、関東大震災がいかに自分をうちのめし、生きることの意味を熟考するきっかけになったかを語っている。多くの知識人や情深い人々が、茂吉と同じ想いを噛みしめていたに違いない。

臼井先生が被災者を救済していたという事実を知ったとき、レイキの世界では伝説になっているあるエピソードの謎が解けた。それは、先生が貧民窟において貧しい者たちに施術をしていたという伝説だが、大震災の被災者に施術したことが転じた話だとすれば、説明がつく。西方寺の功徳の碑にはこう書かれている、「創傷病苦の人たちが至る所で苦しんでいたので、先生は大変心配し心を痛め、毎日市中を巡って治療し救った人数は数えきれない」

中野へ引っ越す

臼井先生の名声が東京一円ばかりか地方津々浦々に行き渡っていくなか、一九二五年、手狭になった道場は当時まだ郊外だった中野に移転された。小山先生によると、道場の玄関は、来る日も来る日も終日人々の靴であふれていた。

この中野の道場跡には、今でも臼井先生のご親戚が住んでいる。臼井先生の空気を味わいたくて、僕は二〇〇七年にそこを訪れた。家の前で先生のお孫さんという男性に出くわした。何か探しているのですかと尋ねられたが、プライバシーに触れることを怖れて僕はそそくさと立ち去った。その時の非礼への償いのつもりで、後に山口忠夫先生と僕は京都の名菓をお孫さんの臼井氏に送った。暫くすると、彼から菓子への礼の電話が京都の忠夫のもとに入った。お祖父さんのことは何も聞かされていないし、墓がどこにあるのかさえ知らないとのことだった。谷合の親類縁者とは音信不通で、お盆に墓参をする習慣はないそうだ。ずっと遡って一九九四年に、僕は実は臼井夫

フォト 27：谷合の天鷹神社の鳥居に彫られた臼井甕男の名

フォト 28：谷合の天鷹神社の鳥居に彫られた臼井先生の兄弟の名前

人（お孫さんの奥さん）と電話で話をしたことがある。彼女によると、臼井先生の息子の嫁、つまり彼女のお姑さんは遺言の中で、臼井甕男の名をけして家族のなかで語ってはならないと書き残していたそうだ！　理由は誰も聞いていないという。何であっても、それは僕たちが知るべきことじゃない。臼井夫人はそれ以上の詮索を控えて欲しいとおっしゃったので、僕は家族の内情を探ることを止め、本当に大切なことに集中しようと心に決めた。そう、それは靈氣！

臼井先生は日本中を旅して、靈氣を教えた。そして、広島県福山で脳溢血で亡くなる。一九二六年三月のことだった。小山先生によれば、靈授会の席でおおぜいの生徒に靈授をしていた最中だった。すでに二度の卒中を、自らが癒し克服していた。臼井先生の写真の顔や身振りには、卒中の後遺症が見てとれる。

遺骨は東京杉並区の西方寺に葬られた。二〇〇〇人を超える弟子と、四十を数える靈氣療法学会の分会が、先生のレガシーだった。当時学会は、五人の生徒を集めることを条件に、師範に分会を持つことを許可していた。先生の一周忌に際し、石碑が墓地に建立された（フォト29）。書道家でもあった二代目会長の牛田先生の手による、流麗な文字がそこには刻まれている。

以降に石碑の現代語訳を紹介する。

臼井先生功徳の碑

修養を積んで心身を磨いた立派な人物を徳を得た人と言い、その徳をもって世のために正しい道を極め、外に施すことを功績という。功高く徳が大であると、世の人から大人物と言われ師と仰がれる。昔から、師と仰がれ世人に道を教えてきた偉大な人物は皆そういう人たちであり、臼井先生もまたそのひとりだった。先生は宇宙の靈氣によ

フォト 29：東京の西方寺にある臼井先生の墓碑と功徳の碑

り心身を良くする方法を始め、世の多くの人々がそれを伝え聞いて教えを求め、治療を願う者が大変多く、大評判を博した。

先生の名前は通称は甕男、号は暁帆という（アジャバのコメント：新聞記者だったころのペンネームだろう）。岐阜県山県郡谷合村の人である。祖先は千葉常胤で、父方は胤氏、通称は宇左衛門といい、母は河合氏の出である。先生は慶応元年八月十五日生まれで、苦学の人でありまたすぐれた能力を持ち、成長してからは欧米に渡り、中国にも遊学し、大変優秀な人材であったのに、志に反して不遇の連続であった。しかし決して屈することなく、ますます心身を鍛錬した。

ある時、鞍馬山に登って食を断ち、苦しい修行をすること二十一日。すると一大靈氣を頭上に感じて靈氣療法を知る。我が身で試し、家人で実践してみたところ効果は著しく、先生はそこで考えられ、家族ばかりではなく広く世の人々に授けて喜びを共にしたいと、大正十一年四月に居を東京青山原宿に定め、学会を設けて靈氣の治療を行ったところ、遠くから近くからと大勢の人たちが戸外に溢れるほどになった。

フォト30：西方寺にある石碑

大正十二年九月大震災が起こり、創傷病苦の人たちがいたるところで苦しんでいたので、先生は大変心配し、心を痛めて、毎日市中を巡って治療し、救った人たちは数えきれなかった。その後道場が狭過ぎるため、十四年二月市外中野に新築したところ、その名声は遠くまで聞こえて地方からも招きを受け、呉に行き、広島に行き、佐賀に入り、福山にも到るが、そこで遂に病気で亡くなられた。

時に大正十五年三月九日、六十二歳だった。夫人は鈴木氏の出で、名は貞子という。一男二女が生まれている。男の子は不二といい、家を継いだ。

先生の人となりは温厚恭謙で身辺を飾らず、体格が良くいつもにこやかに笑みを含んでいたが、いざ何事かあるときは意志が強く忍耐強く、用心深い人であった。多芸多才で読書を好み、博識で医学書および宗教にもくわしく、道教の仙人の術や筮竹を以てする占術呪術にいたるまでよく知り、この学芸経歴は修養錬磨の資料となり、この修養錬磨が靈法開創造の鍵となったことはあきらかである。

思うにこの靈法の主とするところは病気を治療することだけでなく、要は天賦の靈能力により、心正しく身体をすこやかにして人生の幸せを受けることにあるので、これを人に教えるにはまず明治天皇の遺訓を守って、朝夕に五戒を唱え心に念じることである。ひとつ、今日は怒るな、ふたつ、憂うな、三つ、感謝せよ、四つ、業を励め、五つ、人に親切なれ、と。これを一大訓として昔からの聖人賢人と心をひとつにしながら幸せを呼ぶ秘宝、万病の靈薬とすることが、目的にかなうことである。しかもこの靈法を広めるにあたっては、つとめて身近なところから始めることが大事である。決して高い所、遠い所にあることではなく、朝夕、正座合掌の際に清らかで穏やかな心を養い、平正な行いをすることである。これが靈法の誰にでもなし得る理由である。

近世世の中は移り変わり思想も変動しているが、幸いにもこの靈法を普及するならば世道人心に得るところ多く、ただ病気を治療するのみではなく、世のために役立つであろう。先生の門に入った者は二千人を超え、東京にいる者は道場に集って偉業を継ぎ、地方にいる者もまたその法を伝えて、先生は亡くなられても靈法は永く世にひろまるであろう。

ああ、先生から徳を得てそれを外に施すことは偉大である。門下の人たちが合い集って碑を都下豊多摩郡の西方寺の墓域に建て、功徳を世に顕し普及を図るためのこの文を私に委嘱された。私は深く先生の遺蹟に敬服し、門下の人たちの子弟の間柄が篤いことを良しとして、喜んでその先生の功蹟のあらましをここに記し、後の世の人々に知っていただきたく願うものである。

昭和二年二月

従三位勲三等　文学博士　岡田正之　撰

海軍少将従四位勲三等功四級　牛田従三郎　書

フォト 32：静岡での臼井先生

臼井先生と出会う

臼井先生の生涯と人となりに関する直接の記述は、今のところふたつ存在する。そのひとつはナガノハルエ先生による次のものだ（小山先生の指導ハンドブックからの抜粋、特別収録参照）。

「臼井先生は大勢の人々を癒されました。自分おひとりの力では間に合わず、学会を設立されましたが、当時は四十の部会があったそうです。初めて臼井先生にお目にかかったのは大正十四年（一九二一年）の五月一日のこと、嵯峨野の靈授会においてでした。先生は素朴なお人柄で（偏狭という意味ではありません）腰が低く、朗らかでした。また素晴らしい話し手でもありました。（靈授会の）その五日間、参加者は皆とても熱心な態度で、参加できたことを有り難く感じていました。先生の体全体から、靈氣が発光していました。参加者たちは先生を囲み、衣服に触れてエネルギーを授かろうとしました（アジャバのコメント：日本では師の身体に触れないのが伝統だ）。

大正十五年（一九二六年）、先生は脳溢血により靈授の最中に亡くなられました。過去二度の卒中を自ら癒しておられたのですが、享年六十二歳でした。そのように靈能の高い方を失ったのは、いかにも残念なことでした。学会創設以来五十六年を振り返れば、けして平坦な道のりではありませんでした。戦時中、臼井靈氣療法学会は活動を停止していました。年配の師範の方々はひとりまたひとりとこの世を去り、部会の中には永久に閉鎖したところもありました。けれど、小山先生の献身的な努

フォト 33：サンフランシスコ講和条約の調印式、署名しているのは吉田茂主席全権大使で、吉田茂を囲む右から三人目が苫米地氏

力の甲斐あり、学会は再び息を吹き返したのです」

もうひとつの直接の記録は、著名な政治家で衆議院議員、参議院議員、国民民主党の最高委員長を歴任した苫米地義三氏によるもので、彼は一九五一年のサンフランシスコ講和条約において条約に調印した五人の全権大使のひとりでもあった。

記録には、さらに興味深い臼井靈氣療法についての感想や情報、その実践と効果などが書かれている。

苫米地氏の著書『苫米地義三回顧録』からの抜粋を紹介しよう（詳細は特別収録の章に掲載）。

「それはともかく、臼井式霊気療法を研究し始めた頃、氏（注：苫米地氏）の会社の天海という会計係の細君が、一年位足腰が立たぬということを聞き氏は、臼井氏に同道を願って治療に行った。臼井氏は病人の腰を二、三十分あまり治療した後、『起きてみなさい』と言った。寝返りも出来ず一年も臥せていた病人にこういうことは無茶だと思ったが命ぜられた本人は『はい』と答えると同時にシャンと立ち上がった。立つと共に自ら驚きの声を挙げた。それを見て臼井氏は、『歩いてみなさい』と命じた。部屋は八畳であったが、病人は夫の肩に手をもたせかけながら歩き出した。

奇蹟ということが世にあるとすれば、これこそは正しく奇蹟だ。臼井氏はこれを見てただ笑っていたが、病人やその夫は勿論、苫米地氏もしばし呆然として声も出なかった。この玄妙不可思議の霊法を目のあたりに見た氏は、爾後この道の研究に精進し、ついに大師範の免許を師から受けたのである。かくて、世の人助けにもならばと折もよく大日本人造肥料の関西部長として赴任早々で、家族もまだ呼び寄せなかった宿谷住居であったので、治療所を設け、弟子も二、三人おいて、無料治療を施したのであった。

・・・・中略・・・・

大正十二年の関東大震災後、遇々臼井霊気療法の創始者臼井先生に指示して同療法を実地研究してみました所、心身の改善治療には非常に有効な事が分かり、且つ熱心に習得しまして遂には師範たる免許さえ得、爾来求められる場合には、他人にも施し自らも心身の改善に努力致したのです。かかる機縁を限界としまして、私の健康は見違える程よくなり、体重も十六貫以上に達しました、学生以来かつて覚えぬ程の強健さを自覚しうるに至ったのです」

臼井靈氣療法必携

臼井靈氣療法必携は、臼井先生が残された唯一のレガシーであり、生徒たちへの指導マニュアルだった。僕はそのコピーを、一九九七年に小川先生から頂く幸運に見舞われた。小川先生のお父さんは、臼井先生の直弟子から靈氣を学んでいたのだ。本書のために、僕はサトウアキコさんの助力のもとで、このマニュアルの新しい英語訳（＊ここでは日本語の現代語訳）を作った。

問に答えているのは、他でもない臼井先生ご自身だ。このインタビューがいつなされたか、質問者は誰だったのかは分かっていない。ジャーナリストとして鳴らしただけに、臼井先生の筆致は、深淵なる内容を簡素な文体の中に見事に納めている。ゆっくりと味わいながら、二度三度と再読していただきたい。僕は今でも時折読むが、読むたびに新しい宝物に出合えます。

なぜこの療法を公開して説明するのか――創始者　臼井甕男――

　昔から今まで、刷新的で独自の秘法を編み出した創始者は数々いましたが、彼らは自らが実践する他は子孫に限ってその秘法を教え家伝とし、そうすることで後世の一門の生活安定を計り、秘法内容を一切公開しないことをモットーとしてきました。これは実に前世紀の悪い習慣と言わざるを得ません。現代のような、人類の共存共栄に幸福の基本を求め、加えて社会の進歩を要望するような時代にありながら、（靈氣を）私物化するようなことを、私はけして誰にも許すつもりはありません。

　臼井靈氣療法は前人の誰も発見したことのない独創的な発見であり、世界中のどのような（霊的な）発見とも比べられないものです。

　だからこそ、私は人間の公益のためにこれ（靈氣）を広く伝えることで、誰もが天からの恵みに浴し、それによって靈と肉体が一体となり、ひいては社会全体が天の与える福祉を実現することを目指しているのです。そもそも私たちの靈氣療法は、宇宙のエネルギーに基づく靈氣の独創的な療法ですから、そのパワーを得ることで、まず身体が壮健になり、穏健な考え方が得られ、生きることの愉悦感が増すのです。

　生活全般において改善や改造をしなければならない昨今、悩める同胞や病気や災害に苦しむ人々すべてを救うために、私は敢えてこの療法を公開し、伝授する所存です。

質疑応答

問：臼井靈氣療法とはどのようなものですか？

答：恐れ多くも私たちは、明治天皇の御遺訓をいただいております。それを踏まえたうえで私の教義を成就し、心身を錬磨向上させ、人として正道を歩むためには、第一に心を癒し、第二には肉体を健全にしなければなりません。心が誠の道に適い健全であれば、肉体は自ずから壮健になります。

そうして靈と肉体がひとつとなって平和と享楽の生涯を全うしながら、他の病者を癒し、自他ともに幸福を増進することが、臼井靈気療法の使命なのです。

問：臼井靈氣療法とは、催眠術、気合い術、信仰療法その他の療法と名称を異にする類似のものですか？

答：いえいえ、それらと似たり寄ったりのものではありません。私が長年に渡って厳しい修練を重ねた結果、ついに感得した靈秘であり、靈と肉体とを救うための法術です。

問：それでは心靈療法（超能力によるヒーリング）と考えていいですか？

答：はい、心靈的な療法と言うこともできますが、物質的療法（身体による癒し）と言ってもかまわないでしょう。なぜなら、施術者の身体中から氣と光が放射するからです。特に眼、口、手から多く発します。ですから、患部を二、三分の間凝視するか、呼気を吹きかけるか、手で撫でたりしていますと、歯痛、頭痛、胃腸病、神経痛、乳腺症、打ち身、切り傷、火傷、その他の腫れや痛みなどはたちどころに痛みが去り、腫れがひきます。ただし、慢性疾患についてはそうもいきません。何回かの治療を要しますが、それでも一回の治療で効果が現れます。

このような現象を現代の医学の知識をもって何と説明すべきなのか、私には分かりませんが、事実は小説より多くを語っています。皆さんが実際をごらんになれば、なるほどとうなずかれることでしょう。どんなに詭弁を弄《ろう》する人でも、現実を無視することはできません。

問：臼井靈氣療法は、信じなければ病気が治りませんか？

答：いいえ、心理療法や催眠術やその他の精神療法とは違いまして、暗示を少しも与えませんので、同意したり信じたりする必要はありません。それどころか、どんなに疑っても否定しても拒んでも、構わないのです。例えば幼児や重病患者のような意識のない人に対しても、十分な効果を発揮します。最初から確信をもって私たちの療法を受けに来る人は、十人に一人あるかなしで、たいていの場合は一度治療を受けてみてその効果を初めて知ることにより、にわかに信頼の念が起きるのです。

問：臼井靈氣療法により、どんな病気が治りますか？

答：精神的な病でも肉体的な病でも、どのような病気も治ります。

問：臼井靈氣療法は病気を癒すのみですか？

答：いいえ、身体の病気を癒すだけではありません。心の患い、つまり憂鬱、虚弱、臆病、優柔不断、神経質その他の悪癖を矯正することができます。そして（靈氣を得ることで）神や仏のような心になり（施術者は）人々を治療するのを使命と感じるようになり、自他共に幸福に充ちることができます。

問：臼井靈氣療法はどのようにして癒すのですか？

答：私はこの療法を、この世界に存在する何者かに伝授されたのでもなく、治療するための靈能力を得ようと研究したのでもありません。断食中に大きなエネルギーに触れて不可思議なものに靈感し、癒しの靈能力を得たことを偶然に自覚したのですから、創始者の私でさえ、はっきりとした説明を申し上げるのに苦しみます。学者も識者も熱心に研究しているところですが、現代の科学に頼って断定することは困難のようです。それでも科学が解明してくれる時代の来ることは当然です。

問：臼井靈氣療法には医薬を用いますか？　とすれば何らかの副作用はありませんか？

答：医薬や機械をいっさい用いません。ただ凝視と呼気と撫手（なでる）と按手（手を置く）と軽打のみで病気を癒します。

問：臼井靈氣療法には医学の知識を必要としますか？

答：私たちの療法は現代の科学を超越した靈法ですから、医学に基礎を置きません。単に脳が悪ければ頭、胃が悪ければ胃、眼が悪ければ眼など、患部を凝視か呼気か按手か撫手するのみで治療の目的を達しますから、苦い薬も呑まず、熱い灸もすえず、短い月日で病気が治るので、そこが我が独創の靈法という所以です。

問：現代の著名な医学者たちはどう考えていますか？

答：学識深い著名な大家の（臼井靈氣療法についての）見解は、まことに公平なものです。欧州における知名度の高い医術者は、医薬に依存する医療に深刻な態度で批判しています。

それはそれとして、帝国医科大学永井潜博士は、「我々医者は、疾病を診断し、それを記録し、理解はするが、いかに治療するかを知らないものだ」と言っておられます。

近藤医学博士もまた、「医術が飛躍的に進歩したと思うのはとんでもない迷信であり、（患者の）精神的な面を顧みないのは現代医術の最大の欠点である」と述べていますし、原栄博士は、「現代の衛生治療学において、靈智ある人類を一般動物と同一に取り扱うのには、あまりにも侮辱的である。近い将来に治療界の画期的な改革がなされることを、信じてやまない」とおっしゃっています。

久賀六郎博士はこう述べている。「医者ではない人々が行っている心理療法のようなものやその他の各種療法もまた、疾病の種類や患者の個性に応じて施術が適している場合には、医者の治療では到底及ばないほどの素晴らしい効果を引き出しているのは事実である。盲目的にこうした医者ではない精神治療家を敵視し、排斥することばかりに務めるのは、まことに狭量なことである（『日本医事新報記載』）。

現に、医学博士や医学師、薬剤師の方々がこのように認めて、（靈氣）に入門して来られる事実を見ても、明らかです。

問：政府は（臼井靈氣療法を）どのように見ていますか？

答：大正十一年（一九二二年）二月六日、帝国議会衆議院の予算分科会において、代議士の松下禎二博士は次のような質疑をしています。

「近頃、医者ではない人々が心理療法とか精神療法などと言いつつ大勢の患者を治療しているようですが、それについての政府の見解を問います」

それに対し、政府を代弁する潮委員はこう答えています。

「催眠術のごときものは、十数年前まではどうせ天狗の技だろうと思っていましたが、今日では学問上の研究が進み、精神病者の治療に応用されているようです。人類に関わること全てを、医療で解決することは困難です。医者はある種の疾病に対しては医学の示す治療法に従い、この病気にはこの処置を講じようという対処をしているものだが、万病には電気なら電気をかける、触るなら触るというようなやり方は、医の行為とは言えない」

つまり、私たちの臼井靈氣療法は医師法にも鍼灸取り締まり規制にも、抵触してはいないのです。

問：そうした治療ができる靈能は天賦の才能であり、特別の人にのみ備わっていて、誰もが学んでできるものではないと思いますが、いかがでしょう？

答：いえいえ、生を受けた万物の者は、何であっても天恵として治療の靈能を備えているものです。草、木、禽獣、魚虫すべてがそうですが、特に人間は万物の靈長でありますから、一層著しく発現します。それを具体化したものが、臼井靈氣療法として世に現れたものです。

問：ということは、だれでも臼井靈氣療法の伝授を受けられるのですか？

答：もちろん、老若男女は問わず、学者でも無学者でも、常識を備えている人ならばわずかの時間の間に立派に自分の病気を治し、他人の病気を癒す靈能を確実に得ることができます。今日まで千数百人に伝授しましたが、ひとりとして不結果に終わったことはありません。初伝だけで立派に病を癒す能力を得られるのは、不可解のように皆考えていますが、それはじつにもっともな感想でしょう。その最も難しいことが容易にできる、それこそが私たちの靈法の特色です。

問：他人の病気は治せるとして、自分の病気を癒すことができますか？

答：自分の病気を治すことができない人が、どうして他人の病気を癒すことができますか？

問：さらに、奥伝を受けるためにはどうしたら良いですか？

答：奥伝には、発靈法、打手治療法、撫手治療法、押手治療法、遠隔治療法、性癖治療法などがあります。まず初伝を受けてもらい、その成績が良く品行が正しく熱心な人に、奥伝を伝授します。

問：靈氣療法に、奥伝以上のものがありますか？

答：神秘伝があります。

（インタビュー終了）

臼井先生の死後

臼井先生亡き後の臼井靈氣療法学会を継いだのは牛田先生だった。次頁の写真をご覧頂きたい。並みいる師範たちに混じり、中央の臼井先生の左側にいるのが牛田先生です。

下段の一番左には、林忠次郎先生の顔も見られる。この方なしに、レイキの世界的な伝播はあり得なかった。

臼井霊気療法学会の師範たち

林忠次郎先生

臼井先生から直接指導を受けた二十人の師範のひとり。施術に優れ、東京の信濃町に道場を構えていた。道場には八台の靈氣台が置かれ、そこに横たわる人々は後を絶たなかった。林先生の弟子には著名な劇作家の松居松翁（一八七〇～一九三三）氏がいる。「幸福な社会を招致すべく」という題の本を残した（残念ながらとうの昔に絶版となったが）。

林先生は戦時中に熱海で亡くなった。

シキ先生

じつに大勢の弟子を抱えていた。昭和十五年（一九四〇年）没。

フォト 34：一九二六年一月、臼井先生と師範たち

中央に臼井先生。向かって左側が牛田先生。一列目の向かって一番左は林先生、最後列の一番左が和波先生、左から三番目が武富先生。苫米地先生はここに参加できず、右側に後から追加された。写真下に、心身改善臼井靈氣療法靈授者一同、と記されている。この写真はオリジナルの全体ではない。オリジナルは山口家の一室に飾られており、一同の頭上に五戒の額が見られる。

今泉哲太郎先生（一八七七年九月十二日生）

第三代会長武富先生の右腕として活躍し、会長が活動不能に陥ってからは、会長代行の任に当たった。海軍の高官を一九四〇年九月十二日に引退、一九四五年二月八日、六十七歳で亡くなった。

イソダシロウ先生

最初牛田先生に師事し、後に臼井先生の弟子となり、広島、須磨、京都の学会支部の長を歴任した。科学者として、靈氣を科学的に捉えていた。奥さまの類い希なヒーリング力は、人々によく知られていた。

フォト35：林先生

三根伊真枝先生

プロの音楽家であり、『道しるべ』『九十年の歩み』と題された自伝を、一九六七年十月に上梓している。この自伝には臼井先生が靈授した師範たちについて、その日付と場所にいたるまでが詳細に書かれている。三根梅太郎先生の奥さまであり、神戸や須磨の支部を率いていた。生涯において数えきれない患者を癒した伊真枝先生は、百三歳の長寿を全うされた。

カネコシゲヨ先生

聴衆の心をとらえて揺さぶる能弁家で、話術をほしいままにしていた。帝国陸軍の高官であり、人格者であった。広島と鹿児島においてセミナーを行っていた。

ツボイ先生

茶道の師匠。昭和五十七年（一九八二年）に九十九歳の長寿を全うした。靈氣を習い始めたのは昭和八年（一九三三年）、武富先生に師事した。当時の臼井靈氣療法学会の本部は東京の原宿にあった。のちに戦災により焼失すると、靈授会は東中野のツボイ先生宅で行われるようになったが、ツボイ先生が引っ越した後は、自由が丘のツボイ先生の息子さんのお宅に移された（フォト36）。その頃靈授会に参加していたのはほんの数名で、小山先生がそのひとりだった。共に高岡の会員だった小山先生と渡辺先生（第四代会長）の再会の幸運は、そこで得られた。渡辺先生は靈氣の普及に行き詰まりを覚えていたが、小山先生のリーダーシップと尽力により、戦後再び臼井靈氣療法学会は活況を呈した。

モリハクヨシコ先生

武富先生に師事した。昭和九年（一九三四年）、先生は大分県の知事の結石を治療し、褒美として公に施術することを許可された。昭和四十三年（一九六八年）に他界した。

ナガノハルエ先生

臼井先生の直弟子であり、臼井靈氣療法学会の本部で活躍された。高齢の和波先生（第五代会長）の代行をよく務め、昭和五十九年（一九八四年）四月に他界した。

他の先生がたの名前も、ここに紹介しておこう。ハナイ氏、ハラダ氏、ハラグチ氏、ヒダ氏、イチノセ氏、イチライザキ氏、イソベ氏、ジョウ氏、コバヤシ氏、コムラ氏、小川二三男氏、オニズカ氏、センジュ氏、タカヤマ氏、田村夫人、牛田夫人、ウスイ氏、ヨシザキ氏。

（アジャバのコメント：その時代の霊術界を賑わせ、インターネット上でさまざまな憶測がなされている江口俊博氏は、小山先生によると、なんと奥伝修了者に過ぎなかった。なるほど、師範のリストに載っていないのが頷ける）

フォト36：自由が丘道場はこの一角にあった

臼井靈氣療法学会の歴代会長

初代会長　臼井甕男

一八六五年八月十五日、当時の岐阜県谷合村に生まれる。一九二六年三月九日、佐賀県の福山にて没。号（ペンネーム）を暁帆という。妻の旧姓は鈴木貞子。長男は不二といい、一九四六年七月十日、三十九歳で没。臼井先生の人柄は温厚で慎み深く飾らず、笑みを絶やさなかった。

第二代会長　牛田従三郎

一八六五年五月八日、京都生まれ。帝国海軍兵学校十二期生。

明治三十八年（一九〇五）八月五日、海軍大佐、功四級を賜る、水上機母艦「秋津州《あきつしま》」艦長

明治三十八年（一九〇五）十二月二十九日、軍令部専任副官

明治四十一年（一九〇八）二月二十日、「沖島」艦長

明治四十一年（一九〇八）四月七日、「日進」艦長

明治四十一年（一九〇八）十一月二十日、「朝日」艦長

明治四十三年（一九一〇）十二月一日、軍令部専任副官、

明治四十四年（一九一一）十二月一日、少将、舞鎮参謀長
大正元年（一九一二）十二月一日、特命
大正二年（一九一三）三月三十一日、予備

牛田先生は、靈氣療法は精神療法であるから、病気を直すには、まずその人たちの性格に働きかけるべきだと説いた。
多くの優秀な弟子に恵まれ、書道の大家でもあった。フォト37の西方寺の流麗なる碑文同様（フォト32の左上の）五戒は牛田先生の筆に成るもの。一九二六年五月八日に軍歴を去り、一九三五年三月二十二日、六十九歳で世を去った。

第三代会長　武富咸一

一八七八年十二月二十八日、東京生まれ。帝国海軍における軍歴は次の通り。

大正七年（一九一八）十二月一日、大佐、大湊要港部参謀長
大正八年（一九一九）十二月二日、呉工廠検査官
大正十二年（一九二三）一月二十日、「摂津」艦長
大正十二年（一九二三）十月一日、「摂津」特務艦長

大正十二年（一九二三）十二月一日、少将
大正十二年（一九二三）十二月十日、特命
大正十三年（一九二四）二月二十五日、予備

武富先生は靈示法に長け、病気の診断に役立てていた。靈示法の指導法として伝わっている逸話に次のようなものがある。

先生が五十人ほどの弟子たちを起立し縦一列に並ばせて、順に前の者の肩に手を置かせ、ご自身は最後尾に立つと、やおらこう言い放った。

「これが靈氣です！」（この本のタイトルがどこから来たか、これでお分かりですね！）

その一言とともに、先生は自身の放つ靈氣を弟子たちに送った。エネルギーを感じる能力を高めることが、靈示法の極意であると教えていたのだ。

また、血液感染とみられる子どもの治療中のこと、原因が過労にあると判断した先生は、子ども

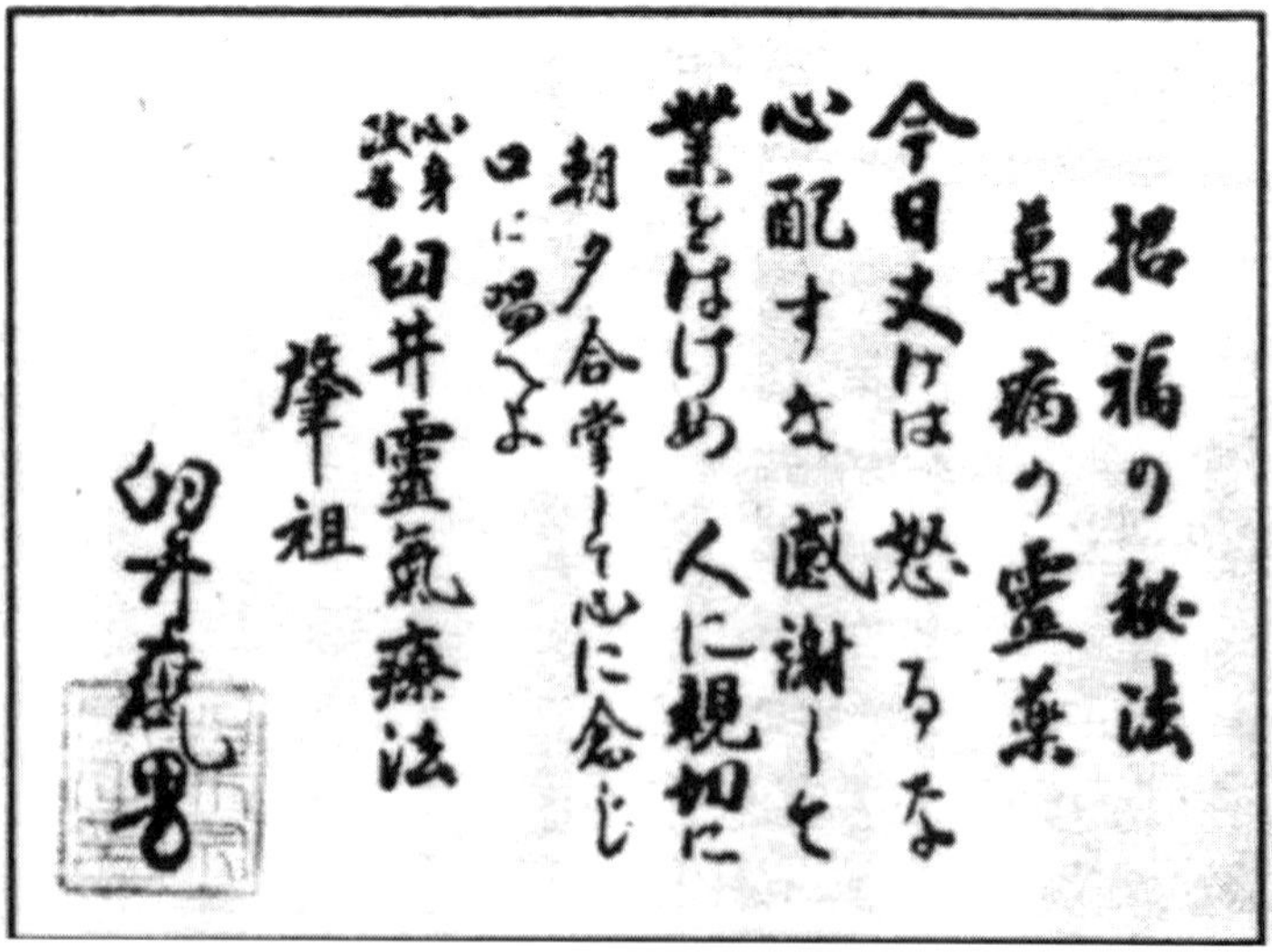

フォト 37：臼井先生直筆の五戒

の背骨に施術することで癒したという。正確な診断があってこそ治療効果が上がることを、そうして弟子たちに伝えた。

大湊要港での参謀長時代、先生はしばしば犯罪者の摘発と処罰の任に当たっていた。靈示法を使って容疑者の中から真犯人を突き止める能力を買われてのことだった。先生はまず、容疑者の名前を紙に書き出し、靈示法を用いてひとりひとりの名前の上に手をかざしていき、手が止まった名前が犯人だったという。犯人探しだけではなく、さまざまな建設的な目的にもそれは使われた。

戦時中は京都に住み、戦後東京に戻った。一九六〇年十二月六日、八十一歳で永眠。

第四代会長　渡辺義治

昭和四年（一九二九）の三月二十五日から昭和十年（一九三五）の三月二十五日まで、高岡高等商業学校に英語教師として勤務しながら、奥さまとともに靈氣治療を行っていた。溺れた人を蘇生したり、赤痢で医者に見放された霊気療法学会会員のお子さんの一命を、三十分ほどの丹田治療により取り留めたことがある。学会の主な支部を戦後になって率い、武富先生と時を同じくする一九六〇年の十二月に世を去った。

フォト38：渡辺先生

第五代会長　和波豊一

一八八三年（明治十六年）十一月二日に三重県で誕生。軍歴は次の通り。

大正十三年（一九二四）十二月一日、潜水学校教頭
大正十五年（一九二六）八月一日、呉港、潜水艦建造
大正十五年（一九二六）十二月一日、潜水学校教頭
昭和二年（一九二七）十一月十五日、「迅鯨」艦長
昭和三年（一九二八）十二月十日、艦本部員
昭和六年（一九三一）十二月一日、少将
昭和七年（一九三二）十一月十五日、第二戦線司令官
昭和九年（一九三四）十一月十五日、潜水学校校長
昭和十年（一九三五）十一月十五日、中将
昭和十一年（一九三六）三月十六日、特命
昭和十一年（一九三六）三月三十日、予備

フォト39：和波先生

和波先生は温厚かつ朗らかな人柄で知己友人に恵まれ、多くの人々に靈氣を伝えた。老齢に達してからは、会長後継者の小山先生に施術の任を託した。健康への造詣が深く、ことに老齢期の健康に

詳しかった。よく講演を行い、体調に気を配り、九十歳で富士登頂に挑んだ。一九七五年二月二日、九十一歳の長寿を全うした。

（※牛田先生、武富先生、和波先生の軍歴は、陸海軍所管人事総覧 ～海軍編～より。編集者／外山操、出版社／フジョウ書房、出版年／昭和五十六年）

第六代会長　小山君子

昭和七年（一九三二）富山県の高岡で武富先生から靈氣を学び、以来三年間、五日間コースの靈授会を年に二度受講しながら研鑽を積んだ。六人の子どもたちを健康に育てたいという目的で、靈氣を始めたが、習うに連れて、健康増進だけではない靈氣の真実を知るようになる。昭和十年（一九三五）に夫がビルマに徴兵されてからの十三年間はおひとりで靈氣を実践していたが、昭和二十三年（一九四八）に学会の靈授会の一員となり、和波先生や渡辺先生の指導を受けた。

次男の死に遭遇した小山先生は、その時初めて天のパワーを感じ取り、戦時中は明治神宮に赴いて神々の声を拝聴した。息子たちが赤痢に感染した時には、和波先生の手に頼った。ほんの一時間の施術の後、息子たちは黒い便を排出し、続く三日間の丹田治療を受けて回復したという。

小山先生は日々に、天と地から靈授を受けていた（皆さんは僕のところに靈授に来てね！）。

昭和五十一年（一九七六）に学会の本部は自由が丘に移転したが、小山先生は毎週の練習会を、目黒区の自宅で行っていた。本部の会員数はおよそ二百五十人で、十三の支部を合わせると六百人ほどに昇った。娘さんのマキノさんが学会の副会長を務めていた。一九九九年十二月三日に永眠。

「私は日々、神々のために働いています、全力を尽くしてね。そして自分を大切にしています。靈氣は宗教ではありませんが、何か崇高なる力に導かれていると感じています。夜中まで遠隔をしているので、あまり寝ていません。心が浄化されると、歩むべき道が示されます。自己中心の気持ちから解放されると、天は道筋に光を当て、為すべきことを与えてくださいます」

巻末の特別収録に、小山先生の指導ハンドブックの一部を本邦初公開した。これは僕が小川二三男先生から一九九七年にコピーをいただいたものだ。どうかしっかりと拝読してください。靈氣の宝物が溢れんばかりに盛られています。

第七代会長　近藤正毅

会長就任は一九九八年、ある有名大学の教授だった。残念ながら僕はいまだに面識を持つことができずにいるが、今後も諦めずにチャンスを待ちたい。

（※臼井靈氣療法学会の先生たちと歴代会長についての情報は、小山先生の指導ハンドブックに寄る。）

臼井先生死後の学会

前述のように、臼井先生の直弟子は二十人を数える。人は常に死に備えるべきだ、と生前の臼井先生は説いていたが、死の直前に直弟子を世に送ったという事実は、自らの教えの実践に他ならないだろう。残念ながら、その二十人のうち誰が学会に残ったのか、あるいは指導に当たったのか、いやそれどころか、フォト34の面々が誰であるのかさえ、詳細は分かっていない。

臼井先生の直弟子のうち二人は独自の霊的療法の組織を立ち上げたが、多くの師範が指導を続け、多くの後継者を育てた。そうして靈氣は全国に広まった。公にされていない靈氣の実践者たちがどれだけいたことか。僕が今話していることなど、氷山の一角に過ぎないのだと思う。

林先生と林靈氣研究会

林忠次郎

さて、僕たちの靈氣の父である林先生に言及しよう。情報はすべて、山口千代子・忠夫先生が提供してくださったものだ。

一八七九年九月十五日神奈川県に生まれた林忠次郎先生は、一九〇二年に海軍兵学校三十期を卒業すると、日露戦争下で軍医として活躍した（一九〇六年まで）。一九十八年に大湊警備府で司令官の任に当たっていたが、奇しくも要港部の参謀長は、第三代会長の武富先生だった。

智恵夫人（一八八七年生まれ）との間に、タダヨシ（一九〇三年生まれ）とキヨエ（一九一〇年生まれ）という二子をもうけた。

臼井先生が亡くなる一年前に師範を伝授され、医者の立場を生かして道場を開くよう、臼井先生に勧められた。この一事が、靈氣を絶滅の危機から救うことになるとは。医療行為が公に許されていたのは、医療従事者か鍼灸師に限られていた当時、林先生こそが靈氣を日本中、ひいては海外に広める天の配剤であることを、臼井先生は認知していたに違いない。

林靈氣研究会の場所は現在の新宿区東信濃町二十八、後に高田先生が癒されることになる場所だが、十六人の治療家を抱えるそこは大きな診療所で、マッサージテーブルが導入されたのもこの道場だった。

林靈氣学会の盛況ぶり

カリスマ医師林先生の名声は、日の出の勢いで日本中に知れ渡り、師の例に習い林先生もまた旅に継ぐ旅の日々を送っていた。

菅野和三郎が初伝と奥伝を林先生に師事したのは、一九二八年の大阪でのこと。生地の石川県から大志を抱いて大阪に出てきた若き菅野は、精進の末に大きな製紙会社の重役に出世していた。製造コストの高い和紙をしり目に、洋紙製造業は業界を席巻していたのだ。そうして富と成功を手に入れた菅野だったが、二人の子どもを結核で亡くす（第一子は二歳ごろ、第二子は思春期のことだった）という憂き目に遭い、絶望の淵で代替医療の世界を模索していた。

林先生、そして靈氣との出逢いを、菅野は運命と捉えた。靈氣を習い始めたのと前後して、今度は妻の千代が結核に臥した。林先生に施術を請い、先生とともに集中的に妻に手当をしたところ、妻は全快した。これが菅野に靈氣への確信を与え、友人や親戚に広める出発点となった。

旅には大きな苦労が伴う時代。交通手段は限られ、要する費用と時間は莫大なものだった。いきおい、靈氣を習いに大きな都市を訪ねられるのはごくわずかな富裕層に限られた。郷里石川県の菅野の友人知人たちは日増しに靈氣に関心を深めていったが、大阪への旅には二の足を踏んだ。

林先生に石川県にお越しいただくのはどうだろう、と考えた菅野は先生に打診した。林先生からの条件はひとつだけ、それは十人の生徒たちを集めることだった。早速手配が進み、千代婦人を含む親戚一同が集った。会場には大聖寺という地元の寺が用意された。

大聖寺での最初の講習

講習の第一回目は昭和十年、石川県の菅野の家で行われた。のちに会場は大聖寺に移され、林靈氣学会の大聖寺分会として世に知られるようになる。春と秋の二回、東京では間が置かれていた初伝と奥伝が、五日間通しで行われた。

生徒の多くは奥伝をもって学びを終了したが、菅野夫妻はいっきに師範の資格まで駆け上った。全国的にも、菅野夫妻のような主催者の方たちは、師範まで進む例が多かったようだ。初伝奥伝の講習料は、新米教師の給料二ヶ月分に相当したというから、いきおい靈氣習得は富裕層のステイタス的なイメージを放ち、病気の治癒に留まらず、自分たちを魂から変革しようと願う者が多かった。施術料に関してはこれといった決まりはなく、わずかな礼金か、漁師ならば魚、農民ならば米で気持ちを表し、何もない場合は無料でもよかった。

菅野家の大人たちは一人また一人と靈氣を習得し、熱心に人々を癒していた。菅野和三郎の姪で僕の師である千代子先生にはお姉さんがいたが、その勝江さんも講習を受ける妙齢に達していた。千代子先生は一九二一年生まれ。菅野夫妻は実子ふたりを亡くしたあと、子だくさんの千代子先生の両親に千代子の養育を願い出た。両親が快諾したので、千代子は伯父夫妻のもとで靈氣とともに成長した。

姉の勝江さんは講習第一回目の生徒だった。施術が上手だと評判だった勝江さんを送迎する車が頻繁に家の前に着くのを見ながら、車に乗れる姉が羨ましくてならず、早く自分も姉のようになりたいものだと、千代子は心待ちにしていた。

「女学校を卒業してから」が、靈氣を習う条件だった。そして、千代子先生がとうとう林先生の講習に参加する日がやってきた。昭和十三年（フォト40参照）。靈氣は嫁入り道具のひとつだ。

千代子先生は僕がお会いした頃もまだ、林先生への畏敬の念を燃やし続けていた。背が高くハンサムでカリスマ的な魅力をたたえ、靈氣を熟知していたという。講習を受けるやいなや、家族や友だちに施術を始めた千代子先生、それは二〇〇三年に亡くなるまで六十五年間続けられた。

フォト 40：山口千代子（右から五番目）は昭和十三年（一九三八）に初伝と奥伝を習得した

幸運な巡り逢い──高田ハワヨと林先生──

一九三五年、ハワイ生まれの日系人高田ハワヨは、東京のとある病院の手術台で今まさに執刀されようとしていた。だが、「手術は必要ない」という内なる声に導かれるように手術台を降り、ハワヨは「手術以外に助かる方法はありませんか」と医師に尋ねた。時間はかかるかもしれないがそれでもよければ、とその医師から紹介されたのが、林忠次郎先生だった。ハワヨは林先生の道場で治療を受け、みごとに回復する。

靈氣を学びたいと希望したハワヨは、帰国を延期し、林先生のご自宅に身を寄せ、一年間精進した。そうして靈氣はレイキとしてハワヨと共に海を渡り、世界へと広まった。ハワヨさんが林先生に遭っていなければ、靈氣は国内の秘密めいた学会の中に埋没していたかもしれない。だが、まったく別方向へと、レイキは運命づけられていたのだった。

一九三八年に授与された高田ハワヨさんの師範の修了証には、高田先生が十三人の師範のひとりだと記されている。

高田先生は林先生をハワイに招聘した。林先生は一九三七年十月から一九三八年二月まで滞在され、その間に数回にわたりセミナーを開いた。これにより靈氣は絶滅の危機を免れるのだが、皮肉にも林先生の命が代償として払われなければならなかった。

林先生の死

一九四〇年五月十一日、林先生は自らの命を絶った。理由は定かではなく、高田先生は平和主義者だからだと解釈していたが、それだけで自殺ができるとは考えにくい。享年六十歳、日本が第二次世界大戦に参戦する十八ヶ月前のことだった。

日本の政府は、元海軍大佐でハワイに滞在経験のある林先生に、アメリカのスパイ行為を要請したという。この場合、日本人の武士道精神と天皇／国家への恭順の思想を考えると、答えはたったひとつしかない。しかし、靈氣を伝授したばかりのハワイの人々を危険にさらす行為に加担することが、果たして林先生にできただろうか。自らの命を絶つこと以外に、方法はなかっただろう。日本の文化において自害は逃避にあらず、苦境を回避するためのひとつの誇り高き方法論なのだ。昔気質の日本人ならば、林先生の決断に対して頭を垂れ、敬意と賞賛の意を表すに違いない。

フォト 41：一九三七年、ハワイでの林先生のセミナー。五戒の軸が背後に掛かっている。この習慣は現在の直傳靈氣研究会に引き継がれた。

熱海の別荘の浴室で、手術用のメスを用い、林先生は手首を切った。智恵婦人は、自殺の真相と方法を口外しないよう説き伏せられていた。そして、後継者となった智恵婦人は石川県に移り住んだので、すでに太い絆で結ばれていた林家と菅野/山口家との縁は、さらに親密度を深めて行くのだった。

戦時下へ

林先生の死の一年半後、一九四一年十二月に真珠湾攻撃勃発、ドイツと同盟した日本は戦時色一色に染まった。イギリスが日本に宣戦布告すると、陸海軍高官の厚遇に守られ福音のごとく広まっていた靈氣が、やっかいな存在として弾圧を受け始めた。

スピリチャル団体が地下に潜行していく情勢の中、臼井靈氣療法学会と林靈氣研究会もまた、相次いで看板を下ろした。学会の本部は、東京大空襲の藻くずと消え、それから何度も場所を移しながら、学会内だけの施術に活動を制限した。林靈氣研究会の道場もまた、戦火にのまれた。

そんな時世にあっても、靈氣への情熱を灯し続けたのが、山口家だった。千代子先生の兄の潮義雄さんは、なんと戦時下の一九四三年に林智恵婦人から靈氣を習っている。山口忠夫著『直傳靈氣　レイキの真実と歩み』に、智恵婦人と大聖寺分会の方々の写真が載っています。ぜひ、ご一読ください。

戦後

西洋ではヒロヒトの名で知られる昭和天皇の降伏宣言に続き、アメリカの進駐軍による統治が始まった。靈氣にとっては大きな打撃だった。日本再建のために多くの法律が改訂され、日本古来の癒しの術が社会から葬られ、アメリカの製薬業界が市場を席巻し、靈氣は市民権を奪われた。漢方、鍼もまたご多分に洩れず、違法のそしりを免れるために宗教法人となるか、あるいは活動を停止する以外に方法はなかった。そんな中にあっても、臼井靈氣療法学会、林靈氣研究会のいずれもが、宗派として生き残る道を選ばなかった。臼井先生の偉大さは靈氣を宗教にしなかったことだ、という小山先生の言が脳裏を翔る。

戦前の日本には百万人もの靈氣実践者がいたと小川先生は語ってくれたが、千代子先生も同じ見解だった。学会の支部は六十余り、林先生の研究会の分会の数は記録されていないが、それに準ずる規模だったと推察される。

林靈氣研究所は、一九五〇年代まで智恵婦人が率いていた。マンパワーに窮する戦後のこと、違法の遺物となり果てた靈氣を背負って立ちたい人間が、どうして現れただろう？　山口家の師範たちにも後継者への白羽の矢が立ったが、あえて故郷を去り上京したい者はいなかった。高田先生もまた打診を受けたが、承諾しなかった。こうして、林靈氣研究会は看板を下ろした。

けれども、山口家がそうであったように多くの家庭で靈氣は続けられ、その炎が消えることはなかった。

日本の靈氣——僕のリサーチ

一九五十年から六十年代を迎えると、靈氣はいよいよ公の場から姿を消した。なにしろ、臼井先生の直弟子中最年少の林先生でさえ、一八八〇年生まれなのだ。直弟子が相次いで世を去り、世代が移った。臼井靈氣療法学会は、例えるならライオンズクラブ的会員制の組織で、まず入会するのが難しい。会員の誰かとのコネクションが必要で、その会員が会長に紹介すると、会長のお眼鏡にかなった者のみが、会員全員の賛同を得てめでたく入会できるというわけだ。メンバーシップは生涯有効で（だからこそ入会時のステップが厳しい）二種類に分けられる。有資格会員と後援者だ。後援者は活動に参加できるが、会員資格を持たない。

西洋に広まったレイキが里帰りした一九八〇年代、学会は西洋レイキに関わる者を会員と認めないという条項を加えた。なるほど、外国人が入会したって話は聞いたことがない。忠夫先生の知人の会員は、自分を「最後の会員」と称していたし、僕が一九九七年に出会った学会の分派の方は、「ダイナソークラブ」と学会を呼んでいた。

日本の政府はスピリチャルまたは宗教的な活動の自由を阻んでいる。そもそも日本社会には、サブカルチャーが存在しないと、僕は思う。社会の枠組の中（イン）にいるか外（アウト）にいるかの、どちらかしかないのだ。

学会の選択肢は、活動を続けて薬事法違反で摘発されるか、会員制クラブになりすまし地下に潜むかの二つにひとつだった。看板が下ろされ、電話帳から存在が消え、施術は会員同士と家族のみに限定された。

僕が来日した一九八九年の夏には、公にレイキを教えていたのはバーバラ・レイの弟子の三井先生ぐらいで、それもせいぜい年に一、二回だったようだ。僕は当時まだレイキに携わっておらず、英語とドイツ語を教える教師をしていた。三井先生があとで紹介する小川先生と知己だったことは、後になって知らされた。三井先生の持っていた資格ではレイキの初歩しか教えられず、生徒たちは欲求不満を抱えていた。

小山先生と出会った

僕の元でレイキを学んだ生徒さんのひとり望月俊孝（※ヴォルテックス／レイキヒーリングシステムの設立者）が横浜から電話をくれたのは、一九九四年の夏のことだった。それは、六十年間靈氣を実践している女性の電話番号が手に入ったという素晴らしい報せだった。その女性が臼井靈氣療法学会の小山君子会長であることはおろか、レイキに学会があることすら、当時の僕は知らなかった！　望月俊孝はその女性の電話番号を告げながら、入手元は臥せておいてくださいと言った。不可解なまま、僕はその番号に電話した。

呼び鈴が鳴るたびに僕の鼓動は高鳴った。電話口に出た老婦人の第一声は、「あなた、どこでこの番号をお知りになったんですか？」だった。

僕は息を呑んだ。

「私から何をお聞きになりたいの？」と繰り返しされる質問に、前妻のチェトナ（※ホーリーネーム）は丁寧に応じてくれた。

「私たちはレイキに関する本を書きたくて、臼井先生の生涯について調べているだけなんです、それ以上の意図はありません」

「そんな本は読みませんよ、西洋から来たレイキに関心などありませんから」

以前にも何度か面会を断ったことがあると、女性は付け加えた。これも後で知ったのだが、フィリス・フルモト先生（※高田ハワヨの孫娘でレイキ・アライアンス協会代表）もまた、小山先生に門前払いされたひとりだった。

しかし、会話が進むにつれ、先生は心を開き語り始めてくださった。臼井先生の偉大なカリスマ性について。体から光を放っていたこと。弟子たちはその光にあやかろうと着物に触れたがったこと。多くの奇跡的な癒しを経験されたが、卒中で全身が麻痺した男性に施術した後、「立って歩いて家に帰りなさい」と言ったとたん、男性がその通りにしたこと。ユーモアのセンスに長けていて、弟子たちを笑わせるのが得意だったこと。ここ一番の時には真面目で真摯だったこと。頼まれれば誰にでも施術をし、教授されたこと。生前には四十の支部があり、二千人ほどの求道者が臼井先生に師事したこと。菩提寺は東京の西方寺で、出身は岐阜県、亡くなった地は福山であること……。

「仏陀やキリストのような悟りを開いた方々でさえ、大いなる神聖な存在の前では卑小であることを知っていました。その神のような靈の存在こそが、靈氣なのです。身体の不調を癒すのが靈氣だと誤解しないでください。靈氣の根本は愛です。私たちは全身全霊をこめて日々靈氣に勤しむべきです」

たっぷりのお話を聞かせてくださった後、小山先生は二度と電話をしないようにとおっしゃり、僕たちは二度としませんと約束した（とはいえ、〝約束は破られるのが必定〟ですよね）。

よし、次は臼井先生が眠っている西方寺を訪ねよう、と僕はすでに心に決めていた。住んでいた札幌から東へ千キロ、その後数え切れないほど繰り返される臼井先生の墓参の、それは記念すべき一回目となった。

大石ツトムさんと遭遇した

本書は、前妻のチェトナ小林マミに捧げるものだ。チェトナがいなければ、僕のリサーチはとうてい実現しなかっただろう。そして本書のもう一人の立役者は、大石ツトムさんだ。しかし、電話では何度も話した大石さんに、じかにお会いする機会はついにやって来なかった。本書の出版を間近に控えた二〇〇九年四月二十日、それは七年間互いの消息がつかめなかった大石さんと僕が、静岡市で出会うはずの日だった。しかし、僕が静岡市に着いてみて知ったのは、彼がその直前に亡くなったという事実だった。彼の家に赴き、僕は骨壺に頭を垂れて感謝を捧げた。

時間をさかのぼり、いざ西方寺へ。

墓碑に刻まれた内容のなかでも、臼井先生が鞍馬山に死を賭して入山したというくだりに僕は心を揺さぶられた。次の目的地は鞍馬山だった。

一九九五年八月、京都の鞍馬山へ旅立つ寸前に、僕のレイキ電話がまた鳴り響いた。僕の生徒さんであり友人のアキモトシズコからだった（ねえシズコ、この本を読んでいるなら連絡してほしい！）興奮した口調でシズコが語ってくれたのは、こういうことだった。

一昨日のこと、ある男性がシズコの（レイキではないヒーリングの）治療中にこう言った。

「日本にはかつて靈氣という驚くべきヒーリングの技法があったんですよ！」

「え！　私はレイキティーチャーです。ドイツ人の先生から札幌で習いました」

シズコがそう答えると、大石ツトムというクライエントはベッドから転がり落ちそうなほど驚き、自分の母親は臼井先生の直弟子から靈氣を習っていたとシズコに伝えた。

どうやら、情報提供者が現れたらしかった。翌日、僕は膨大な質問をFAXでシズコに送り、それらを大石さんに訊いて欲しいと頼んだ。次の治療日、臼井先生が大石さんのお母さんにくださったという写真（フォト32）を持参し、大石さんはシズコにこう言ったそうだ。

「これをそのドイツ人の先生に差し上げてください」

それを聞いて僕は感激したが、大切な家宝をいただくわけにはいかないので、コピーでいいですとお答えした。

シズコは僕の頼んだ質問をしてくれたが、大石さんは靈氣のことをあまりご存知ではなかった。お母さんが話したがらず、質問しても答えてくれなかったそうだ。

日本文化の原動力のひとつは信頼関係にあり、それを築くには、少なくない時を要する。

僕は矢継ぎ早に質問を浴びせたい衝動を抑え、のんびりと信頼を築くことにした。

次の治療時に、大石さんは臼井靈氣療法学会の静岡支部の代表者を紹介しますと、シズコに申し出てくださった。

小川二三男先生

ついにその時が来た、シズコが学会の先生に接見する第一号になるのだ！　と僕はその時興奮していたが、一九八四年に三井先生がすでに小川先生に会っていた。大石さんとシズコは、臼井靈氣療法学会静岡支部の師範をされていた小川先生を訪ねた。（僕がシズコに託した長い質問のリストは、特別収録に載っています。）それは一九九六年七月二十日のこと、前年に小川先生は脳卒中を煩っていたが、シズコによれば後遺症らしきものは見当たらず、心身ともに溌剌とされていた。とはいえ、ご家族は病後を気遣い、靈氣関係者の訪問を最小限に留めていた。

八十九歳の小川先生の人格に、シズコは打たれた。が、高田ハワヨ先生と林先生をご存知かという質問に、知らないと答えられたのには驚いた！　小川先生は林先生の死後に学会に加わったので、当然だったのかもしれないが、それにしても……。

また、僕が依頼したとおり、シズコはセコンドとサードディグリーのシンボルとマスターシンボルについて尋ねてくれた。最初のふたつのシンボルには頷かれたが、マスターシンボルは見たことがないというお答えだった。師範である小川先生が、マスターシンボルをご存知ないとは。高齢のため忘れてしまったのだろうか。それとも……日本のオリジナルの靈氣には、マスターシンボルそのものが存在しなかったのだろうか……。この疑問は僕が二〇〇二年に千代子先生から真実を知らされるまで、くすぶり続けた。そう、いわゆるマスターシンボルは、臼井靈氣療法学会でも、林先生の系列でも使われていなかったのだ。では、なぜどのように西洋レイキに導入されたのか、それは推測の域に留めるしかないのかもしれない。

フォト 42：小川先生

小川先生は学会の歴代会長の名をひとりひとり挙げ

てくださった。臼井先生、牛田先生、武富先生、渡辺先生、和波先生、小山先生……小山先生？　鳥肌が立った。電話で話したあの小山という老婦人！　それでようやく腑に落ちた。何度も「私から何をお聞きになりたいの？」と尋ねられた理由が。彼女は、臼井靈氣療法学会の、会長だったのだ。

僕のレイキワールドが、音を立てずに揺れていた。

歴史的、実践的な「レイキの事実」は根底から見直されなければならないのだと、強く感じた。

自分の寄って立つ場所が不安定に思われ、疑いが重くのしかかってきた。

シズコは自らのレイキの施術を、

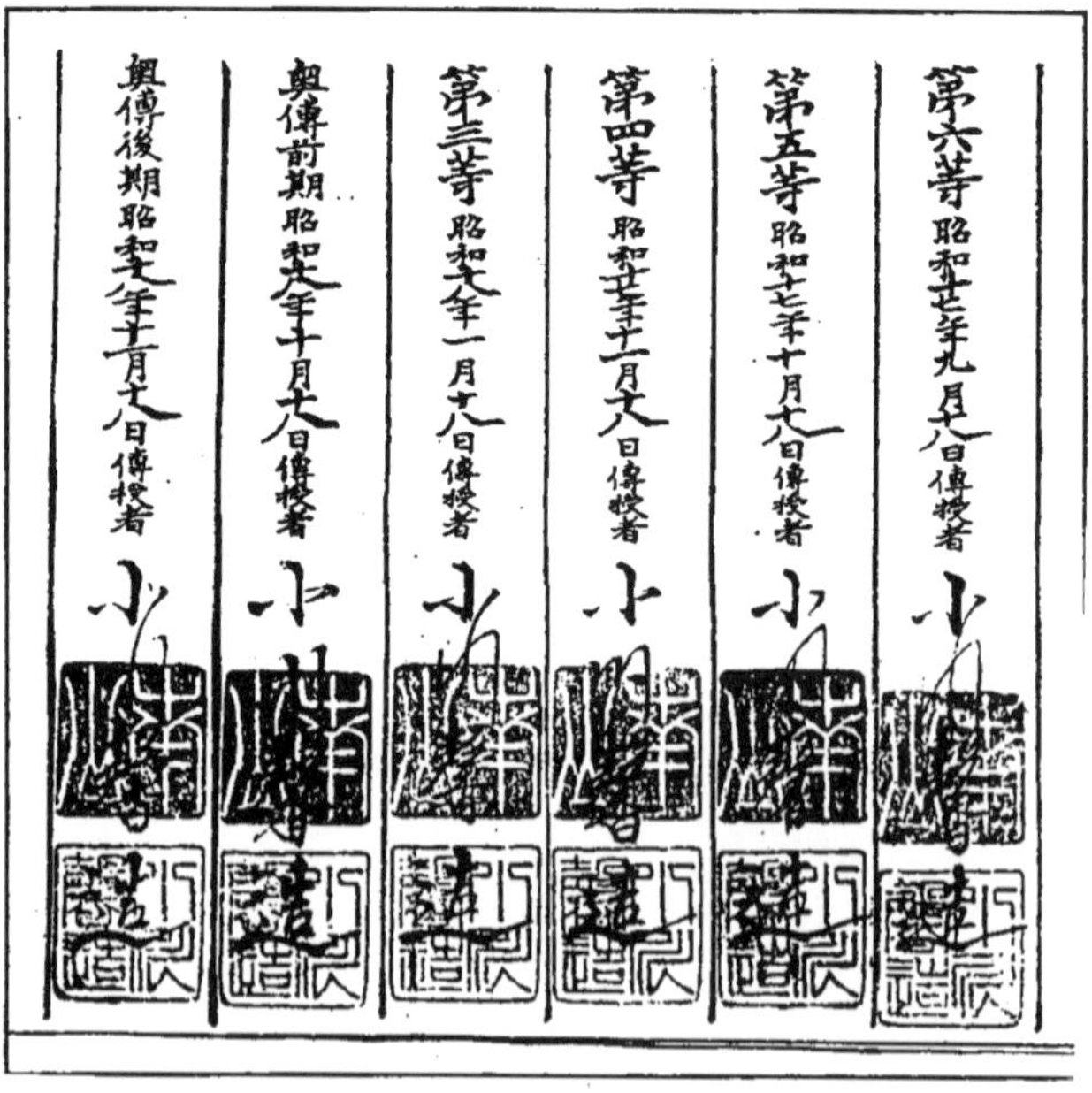

フォト 43：小川先生が生徒用に作った修了証書、一九四二年九月十八日から一九四三年十一月十八日までのもの

小川先生に受けていただいた。

「大変気持ちがよかったです」

と先生はシズコにおっしゃったが、

「けれど、私たちのやり方はそうじゃないんですよ……」

そうして、次の訪問から指導が始まった。シズコはハンドポジションなしの施術と病腺が手を導く妙技を学び、続く二年間、先生の靈氣の方法を徐々に吸収していった。僕の知りたかったことに、ひとつひとつ回答が与えられた。臼井先生は何らかの指導要綱を弟子たちに与えていたのだろうか。小川先生の話では、臼井先生は弟子たちにマニュアルを渡し、その伝統は受け継がれていたという。マニュアルの一部は療法指針で、病腺に不慣れな生徒たちの施術を助けるものだった。（ロータスプレス出版の拙著『臼井先生のオリジナル・レイキハンドブック』を参照のこと）

シズコに東京で再会したのは、一九九七年。彼女は小川先生からの預かりものを持参していた。ひとつは小川先生が書かれた『誰でもできる靈氣』という本。一読の後、電話で小川先生に出版の意志を仰いだが、その気はないという答えだった。ふたつめは、臼井先生が弟子たちに与えていたというマニュアルの『臼井靈氣療法必携』。もうひとつは小山先生が書かれた指導ハンドブックで、一九七二年の臼井靈氣療法学会五十周年記念の際に出版し、師範たちに渡されたものだった。

その一部がこの本の巻末で初公開されます。特別収録に含めたもの以外の内容は、僕の文章の各所に編み込まれ、そのつど小山先生のハンドブックからだと記してある。

一九九八年、小川二三男先生が亡くなった。大石さんが電話で伝えてくれたことには、先生の著書を僕がコピーすることを、ご家族が許可してくださっている、とのことだった。なんと名誉なことか、有り難くお受けすべきだったのだろう。だが、心の深いところでそれは正しいことではないという声がし、僕はその声に従った。

一九九九年一月の初旬、小山先生もまたこの世を去り、いよいよ僕たちは一人歩きする時が来たのだと実感した。

靈氣ファミリー山口家

山口千代子先生

同じ年のこと、林先生の直弟子だという京都在住の女性の噂を、たびたび耳にした僕は、望月俊孝に、それが誰なのかを訊いてみた。名前は山口千代子さんとおっしゃるが、それ以外は知らないと言うので、今度は臼井靈氣療法学会会員の土井裕（※現代霊気ヒーリング協会代表）に電話で問い合わせたところ、快く教えてくれた。

日本の靈氣関係者が外国人に冷ややかなのを痛感していた僕は、またも日本人の前妻を当てにすることにした。教えられた番号に電話すると、山口忠夫先生が電話に出て、僕たちは最初から胸襟を開いた和やかな応対に迎えられた。僕が千代子先生は公にセミナーをされているのですか、と尋ねると、始めるところです、と答えられた。

「外国人を教えていただけますか？」と僕が訊くと、

「日本語は話せますか？」と忠夫先生から訊かれたので、

「はい」と僕は答えた。すると、

「いいですよ、日本人かどうかは、気にせんでください。母は林先生から直接学んだ生徒ですから、学んだことをそのまま教えますが、レイキ1と2だけで終わるかもしれませんがいいですか？　林先生が初伝と奥伝(レイキ1と2)を五日間で教えていた形を再現してますのでね」

と忠夫先生は言った。

千代子先生は公にこそセミナーを開いたことはなかった

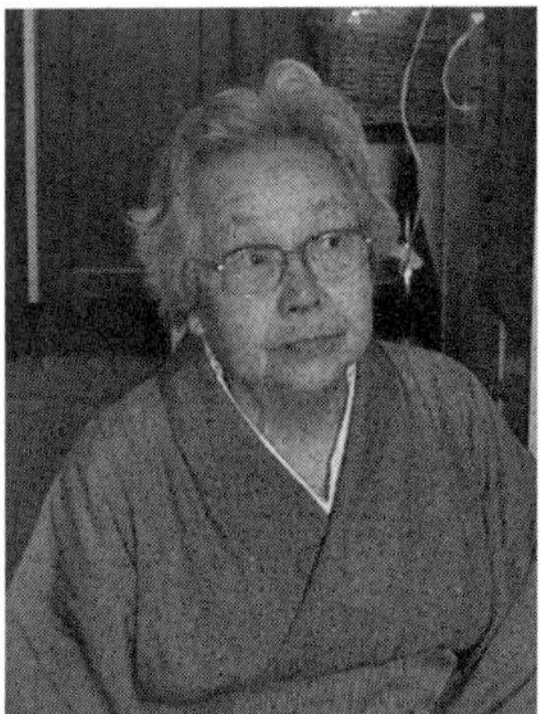

フォト 44：山口千代子先生

フォト 45：山口忠夫先生

が、六十年間たゆまず靈氣をかけ、望む人々には靈授をしてきた。宣伝は口コミで充分だった。

「靈氣を教える一番良い方法はね」

と千代子先生はのちに僕にこう言った。

「病気の人が治療にみえますでしょ。靈氣をかけてあげたらどんどん日に日に良くなりはりますね。そうしたら、その人は靈氣を習いたくなるんですよ。自分に起きたその素晴らしいことを、人にも分けてあげたくなりますでしょ。そうやって靈氣の本当の価値が分かると、自分自身や周囲のためにずっと続けていきはります」

千代子先生は、すでに西洋レイキをマスターした人たちも、あらためて初伝（レイキ1）から始めるべきだと考えていた。それは西洋レイキへの軽視ではなく、林先生に教わった内容を過不足なく伝えたいという真摯な思いだった。師と仰ぐ人を敬愛するなら、すでに習ったことと今から習うことを混同しないように、とも忠告してくださった。日本の伝統では、弟子は師を凌駕しない。僕を受け入れてくれる日本人の師に出会えたことが、どれほど有り難かったか、僕は喜んで同意した。

ところが、初伝・奥伝セミナーが開かれるのは、翌年の夏になるとのこと。それはクリスマスを待ちわびる幼子が毎夜指折り数えるような、切なくも興奮に満ちたカウントダウンだった。あと五回寝たら、あと四回寝たら、三回、二回……。

山口千代子先生から靈氣を学ぶ

日本の伝統靈氣を学びたい、そんな僕の積年の夢が、ようやく叶えられる時が来た。二〇〇〇年七月、僕は京都へ飛んだ。五日間のセミナーは、午前九時から午後三時までか、午後一時から七時に行われた。一日の終わりにはホテルに戻り、古都の調べに耳を傾けた。長年教えるのを生業としていた僕が、再び学ぶ立場にまわるのだ。鈴木俊隆が「禅マインドビギナーズマインド」の中で説いている初心者の心、幼子のように今この瞬間を愛でる心構えに、思いを馳せていた。

毎晩僕は一日を回想し、日記にその貴い体験を書き残した。それらを皆さんとここで分かち合おう。靈氣のシンボルやマントラの内容は明かしていない。それは師から生徒へ伝授されるべきものであり、活字にすべきではないからだ。僕なりの説明が、少しでも皆さんの刺激になることを願うばかりだ。

初日

七月二十四日午前九時、山口家訪問、一目で僕は二人に恋をした。片思いじゃなかったことが後で分かるが、あの瞬間の熱い想いは、今日に至るまでいささかも変わっていない。

場所は築百二十年を誇る京都の町屋、そこが山口家の住まいだった。前面は家業の文房具店で、僕は奥の急な階段を昇り、二階の居間へ通された。その数年後に家はリフォームされ、香気あふれる直傳靈氣研究会の本部に様変わりすることになるとは。畳敷の部屋で、低いテーブルを囲んで座った。

フォト46：京都の直傳靈氣研究所

自分の手足、鼻や首、そして体中が、お茶をいただく時にもトイレに立つときも、何か場違いなものに感じられてならなかった。

和のアンティーク家具が、簡素で上品なその部屋を彩っていた。日本文化の空《くう》が部屋を支配するのを感じ、僕は、長く辛い旅路から我が家へ辿り着いたような郷愁におそわれていた。子どもの頃から求め続けた「静けさ」、そのまっただ中に、僕はいた。

壁に掛かる靈氣の修了証が、日常空間にエネルギーを注いでいた。臼井先生と林先生とお弟子さんたちの何枚かの写真からは、聖なる香気すら漂っていた。そして、千代子先生が背にしていたのは、圧倒的な偉容を誇る林先生直筆の五戒の掛け軸。師は五戒を背にして生徒たちに対面する、これは臼井先生から林先生に受け継がれた伝統で、上座からエネルギーが流れるという自然の法則に叶ったものだ。

僕は靈氣天国にトランスポートしたんだろうか？

参加者は、チェトナと僕のほかに日本人が四人。その方たちがミスター山口を忠夫先生、ミセス山口を千代子先生と呼んでいたので、僕たちもそれに倣った。四人のうち三人は再受講とのことで、初受講はひとりだけだった。僕は過去に学んだことをすべて忘れ去り、一生徒に立ち返った。

靈氣は僕の情熱そのものだから訊きたいことが次々と湧き上がってきたが、最初の質問を浴びせたのは僕ではなく、千代子先生だった。それは、僕が実際に人さまに手を当てて施術をしているかどうか、という質問だった。

「これはね、靈氣の先生たちに必ずする質問なんですよ」と千代子先生は打ち明けた。「はい」と答え、僕は自分が治療を得意としていた病名を、いくつか挙げた。喘息、腫れ物、腰痛、心因性の病……。

次に、癒されていく経過を自分の目で確認しているかと訊かれた。いくつかの体験をお話しすると、千代子先生は相好を崩してこう言った。

「それを聞いて安心しました。ここに来られる先生がたは、教えるのに手一杯で施術をしないという人が多いんですよ」

なんと純粋で素朴な方なんだろう。気取りがなく親切心と愛情にあふれ、控えめで。おばあちゃんになって欲しいタイプ。千代子先生は、人にどう思われるかには無頓着だけれど、林先生には特別の思いを抱いていた。それは、師の教えと精神を受け継ぐ者の心意気とでもいうべきか。千代子先生にとって五戒の四番目の「業を励め」は、林先生への義務と責務を全うすることなのかもしれない。

帰るべきホームに辿り着いた、その興奮が僕の心を満たしていた。

初日、初伝パート1

千代子先生と靈氣の出逢いについては、山口忠夫著『直傳靈氣　レイキの真実と歩み』に詳らかなので本書では触れないが、千代子先生はうら若き頃に靈氣を習得し、結婚してからは家庭の中で伝統を積み上げてきた。山口家には薬箱がなく、痛み止めも塗り薬もなかったという。

「私たちは薬のいらない家族なんです！」

息子たち、孫たち、曾孫たち全員が靈氣を得て、心身ともに健やかに暮らしている。

「昔はね、靈氣は家庭内医療です、家で使うだけで誰も宣伝などしませんでした」

一回目の靈授（アチューンメント）

忠夫先生が靈授の説明を始めた、恐らくは僕のために。

靈授とは、魂を与える／授ける／活性化するという意味で、靈授により靈氣が活発になる。靈氣は宇宙から来て頭のてっぺんから入り、丹田に降りていく。そこからまた上昇し左右の肺を通り両腕を流れて両手に達する。受ける方は目を閉じ厳かに座して待つ。丹田に意識を集中し、吸った息が丹田をエネルギーで満たしているとイメージする。この儀式を体験すると、太陽の下の生きとし生けるものに命を与えているのが、魂のエネルギーなのだと再認識させられる。

忠夫先生が電気を消し、カーテンを引いた。合掌する指先が見えないほどの漆黒の中で、千代子先生が五戒を唱え始めた。

「今日だけは、怒るな、心配すな、感謝して、業を励め、人に親切に」

それは同じ調子で三度繰り返された。

静寂という帳が降り、両手は靈氣ではち切れんばかり。先生たちが身体のどこに触れ何をしているかに気を配ることより、ただ内面に起きている事象を追った。靈氣が光となって視覚に現れ、参加者全員の一体感を覚えた。「感謝して……」待ちこがれた瞬間の到来だった。

靈授に要した時間はおよそ二十五分。僕がレイキ・アライアンス協会で教わったものとは違い、よりシンプルで飾りがなかった。

一旦立って円陣に座り直すよう促されたが、立ち上がれなかった。しびれが切れたのではない。何もかもが満ち足りていたので、次の行動に移る気がしなかったのだ。今にして想えば、それは禅における「只管打坐」、ただひたすらに坐り、坐ることになりきる境地だったかもしれない。終焉のない時空に静寂が溶け込み、レイキファイヤーが体中で鼓動していた。

忠夫先生がカーテンを開け、電気をつけた。円を描いて坐り前の人の肩に両手を置いた。両手と肩の感覚に集中する。これは靈授後、つまり最も手の感覚が生き生きしている時に行う練習だ。この感覚は日増しに繊細になり、いずれ受け手の症状を感じ取れるようになっていく。この独特の感覚こそが「病腺」と呼ばれているものだ。十分ほどその「靈氣まわし」をした後、順に感想を言い合った。

低いテーブルの上に分厚い布団を敷くと、マッサージテーブルに早変わり。ひとりが横になり、千代子先生が頭に手を当てた。他の者たちは、治療に有効な部位にそれぞれ手を置いた。千代子先生は糖尿病のクライエントを例にして、こんな話を始めた。

「毒素が溜まり血流が滞っていると、血液は肝臓か膵臓に流れます。肝臓に流れたら浄化されて問題ありませんが、膵臓に運ばれるとインシュリンショックを起こし、血糖値が下がります。だからと外からインシュリンを投与されると、膵臓はインスリンの製造を止めてしまい、一生注射に頼るようになります。そんな場合は肝臓と膵臓を集中的に施術してください。以前にそういう人に毎日靈氣をかけましたが、一月後に全快されました。ゴーヤを混ぜたヨーグルトもいいんですよ。病気というのは浄化の過程です。内臓がうまく働いていないと、毒素が血管やリンパに溜まります。この毒性が内臓の自然な働きを妨げるのです」

施術するのに「聖なる静寂」は要らない。千代子先生はよどみなく話をされ、当てる部位によって感覚が違うことを、皆の手を取って体験させた。

「ほら、響いてるのが分かる?」

お茶菓子は何がお好みか、着物にはどのシルクが合うか、そんな呑気なおしゃべりが合間に加わった。

林先生の施術法にも触れられた。クライエントひとりに付きふたりの施術者を付け、頭と足の裏と痛みのある部位に手を当てるよう指示していたそうだ。経験豊富な者が頭を担当し、治療の進め方を考えた。マニュアル的なハンドポジションを指示したことはなく、先生が現場にいらっしゃる間は、適宜助言を与えていた。

施術時間については、こう言われた。

「一時間あるなら一時間しなさい、二時間できるなら二時間しなさい。そやけど、最低三十分はしなさい。それ以下では効果が出ません。靈氣は私の生き甲斐です。長い間、一日に二度の施術をやってきて思うのは、九十分が一番良いようです。いえ、時計はあまり見ないんです、病腺が教えてくれるからです」

あれから十一年が経つが、施術の妙技を会得するには、当初楽観していたよりはるかに時間がかかったのを痛感している。

「重病の人には、毎日欠かさず最低一ヶ月は続けてください。効果のほどがあらわれてきたら、先の見通しがつきます。週に二、三度に減らしてもいいかもしれませんね。一番良いのは患者さんの家族の誰かに靈授してあげることです。そうしたら、そんなに頻繁に通って来なくてもよくなります」

施術する側の姿勢のことでは、妥協を許さなかった。

「前屈みにならないように。身体が両腕の真ん中に来るように、手首はまっすぐに。そうすれば長い間坐っていられるし、手首がまっすぐだと、患者さんの身体の反応に敏感でいられます」

千代子先生の傍にいるだけで、心地よかった。気が済むまで何でも訊いてくださいと言われ、質問をはばかっていた気持ちがほぐれた。

二日目、初伝パート2

二日目の朝。五戒奉唱と、母と息子による感動的な靈授に始まる。どなたの手に触れられているのかを詮索せず、靈氣の本質を感じることに徹した。靈授者が一歩引いて自我を引っ込めると、靈氣はより活発に働く。天と地が一体となる瞬間……。

「林先生は靈授の前に明治天皇の御製（和歌）を奉唱しておられたんですよ」

と千代子先生が補足した。それから「靈氣まわし」。

最初の「しるし」の伝授の前に、臼井先生、林先生の方針に従い、それは書き留めないでくださいと念を押された。のちに、外国人の生徒たちが「しるし」を覚えるのに苦労する様子を見かねて、仕方なく千代子先生は書き写すことを許し、プリントの配布にも踏み切った。

「林先生に叱られます」

と僕に洩らしたのを思い出す。不本意やる方なき、というお気持ちだったのだろう。

忠夫先生が白板に書いたしるしに僕がうなずくと、千代子先生はニヤニヤしながら言った。

「西洋レイキでも、これを使いますでしょ？」

そして茶目っ気たっぷりの笑顔で続けた。

「描くだけじゃなく、しるしの名前を三回繰り返すと聞きましたが、それじゃまるで、スプーンを持つたびに、スプーン、スプーン、スプーンって言うようなものですよね」

一同は屈託なく笑った。

「しるしの名前は言わなくていいの。形そのものに力があるんです」

そう、靈氣における四つの力学である漢字、しるし、言霊、呪文には、それぞれ異なった使い方があるのだ。

次に教わったのは、血液交換法。僕のレイキ人生における初体験だった。この技法は全身の血行を高め、靈氣を深部まで浸透させ、溜まった毒素をデトックスする助けをするテクニックで、靈氣治療の締めくくりとして使ったり、時間がないときにはこれだけで終わらせてもいい。所用時間はたったの五分。新陳代謝に問題がある方には、血液交換を二度三度と続けてしてあげると効果的だ。僕たちはこの技法を繰り返し練習した。

五戒について質問してみた。千代子先生のお考えはこうだった。

「怒るな、心配すな、感謝して、業を励め。ここまでできていれば、あなた自身は満たされているはずです。五番目の人に親切に、というのは、皆さんに靈氣を教えてあげなさいという意味なんですよ」

病腺についても学んだ。千代子先生にとって病腺は、靈氣治療の要となるものだ。体内に蓄積された毒性の老廃物は、健康体ならば自然なデトックスのために分散されるが、エネルギーが弱まりそれがうまくいかないと、一箇所に溜まる一方になる。そこで靈氣をかける。靈氣はあたかも、小川に沈殿している泥をかき回すような働きをする。毒素をかき回すことで、体の本来のデトックスを促すのだ。それはまた、薄紙を一枚一枚はがす作業にも似ている。

「あなたたちに要求されるのは、根気です」

そして、林先生からのメッセージを僕たちに伝えた。

「病腺を感じなければ、治療の効果はあまり上がりませんよ」

千代子先生のお話を聞いているうちに、僕の脳裏にこんなイメージがよぎった。

……釣り人が暗闇で釣り糸を垂らしている。魚がかかった、いや魚だけじゃない、古ぼけた靴の片割れと自転車のタイヤも……。

病腺は千代子先生が最も訴えたい靈氣の秘術だった。

「手を置いてください、何か感じますか？」

脈拍と強いピリピリ感を覚えた。急にこんなことを聞いてみたくなった。

「先生は靈氣をかけている間、何を感じていますか？」

「愛ですね」

それは哲学的な概念の愛ではなく、愛に満ちた手のことだった。そう、孫たちを温めてくれる、おばあちゃんの手。先生にとって靈氣とは何ですか、というシンプルな質問もぶつけてみた。

「私は施術に出かけてバスに乗ることがあります。バス停で辛そうにしている人に出会うと、靈氣で癒してあげたくなります」

それが答えだった。

「患者さんとあなたにとって一番心地よいやり方を探してください。ご自分の腎臓にかけるなら、手のひらを背中に当てるのは都合が悪いですね。そういう時は手の甲でもいいんですよ」

それから千代子先生はおもむろに、ひとりの生徒の両足を軽打し、さすり始めた。

「うっ血していると感じたら、マッサージするとか軽く叩いてあげるとか指圧を加えるといいですよ。そうすれば、靈氣が深く入ります」

お若いころのセミナー教授料について聞いてみた。昭和の初期に、初伝と奥伝合わせて五十円だったそうだ。新米教師の給料の倍に当たる。

「靈氣は裕福な人たちが社会にお返しする手段だったのです。習うのは高かったですが、施術にはほとんどお金を取らないか、物でお礼をもらっていました。百姓ならお礼にお米を持ってきたり、漁師なら魚を持ってきていました」

三日目、初伝パート3

五戒奉唱、靈授、靈氣まわし。それから二時間余り、手のひらに靈氣を集める練習法を教わった。初靈法と呼ばれるもので、毎日三、四十分、五日間続けるのが理想的だ。

「手のひらが敏感になれば病腺が分かり、病腺に導かれれば、どこが悪いのか診断できます。一箇所にどのぐらいの時間をかけたらいいか、施術は何回ぐらいが適当なのかも分かります。皆さん、あと何回ですか、何時間かかりますか、とお聞きになりますが、私が申し上げられるのは、はいこれで終わり、もういらっしゃらなくていいです、ということだけです」

初靈法開始。合掌して丹田に意識を集中する。丹田を知ったのは、思春期の頃読んだドイツ人の禅師デュルクハイムの書が切っ掛けで、のちに太極拳の師から教えを受けた。

丹田に意識を傾けつつ合掌の手を少しずつ開き、手のひら間に発しているエネルギーを感じてみる。左右の幅を広げても、エネルギーは依然としてそこにあった。終えるときは丹田の前に両手を引き寄せ、エネルギーを放出することに集中した。うす目を開けている方が雑念にとらわれません、慣れてきたら目を閉じてもいいですね、と千代子先生が言葉を添えた。

個別のこの練習に続き、今度はペアの練習。相手の肩に片手を置き、もう片方の手を自分の膝に置く。毒素が溜まらない膝の部分と、溜まりやすくて凝りやすい肩では、それぞれの手の感触がどう違うかを実感するためだ。膝に置いた手は暖かく、軽い鼓動を感じた。

「それは靈氣ですよ、手から靈氣が出ているのが分かるでしょう」

肩に置いた手はドクドクと鼓動して軽い痛みを覚え、肩甲骨から脊椎に向けて何かが動いているようだった。

「それが病腺ですよ」

次に習ったのは、念達法。詳しくは第四章を読んでください。

その日、靈氣をかけてもらったのは僕だった。千代子先生は後ろからこめかみに手を当ててくださった。マッサージと肩もみも！

「皆さん、フランクさんの肌の色がとても良くなっているのが分からはりますか」

なんて優しい感触なのだろう、その両手が永久にそこにあればいいのに、と僕は願っていた。

四日目、奥伝パート1

この日も靈授で幕を開けた。目を閉じている僕には、おふたりは光そのものに思えた。靈授者から放たれる熱とまばゆい光は衝撃的で、僕の手足は燃えるようだった。

いつもの靈氣回しに、靈氣送りという練習法が加わった。円になり中心を向いて座り、左手は手のひらを上に向け、右手は手のひらを下に向け、両隣の人たちと手のひらを合わせる。十分ほど続けるうちに、円を巡るエネルギーフローの大きさが実感できた。

奥伝では「性癖治療」が伝授される。千代子先生は性癖を、クセと言い換えた。臼井先生の時代、性癖とはあらゆるクセを総称していた言葉で、肉体的、精神的、感情的、そして霊的なものまでがそこに含まれた。この治療がどんな性癖をも奇跡的に改善してくれることを、奇しくも僕の例が証明した。

忠夫先生が二番目の「しるし」を白板に描き、その由来と意味を説明された。なんとそれは、以前、尼僧のミョウユウさんから伺ったことに関係があった。これについては、後で詳細を書こう。

次に千代子先生が、性癖治療の言霊を伝授された。これもまた、僕が西洋レイキから習ったものとは、ずいぶん違っていた。こうして、しるしと言霊により靈氣が正しい光に導かれる準備が整った。この治療の効果がどれほど凄いかを、千代子先生は語気を強めておっしゃり、数多い治療経験からいくつか例を挙げてくださった。

グループがペアに分かれ、いよいよ性癖治療の実践。僕のパートナーは、「二度とお酒を飲まないように」とリクエストしたので、「まさか冗談でしょう？」と僕がたたみ掛けたら、「では飲み過ぎないように、に訂正します」と彼は笑った。僕のリクエストは「せっかち」を治すことだった。十一年後の今こう書きながら、僕は苦笑せずにいられない。僕がせっかちだったって？　それがいつのことだったのかさえ、思い出せない。性癖治療は効くんです！

実践練習が終わり、僕はある質問をした。この「しるし」は精神的、感情的なクセにのみ有効なのか、体の問題には使えないのですか、と。千代子先生はややためらいながら否定した。僕はしつこく追求した。

「本当ですか？　僕は体の問題に使ってみたことがありますが、ちゃんと効きました」

自分が伝授しているのは林先生の教えだから、と申し訳なさそうにしながら、実は自分も体の問題に使ったことがある、とその使い方まで示してくださった。そして、自分が考案したことを人さまに教えるのは、林先生に対して畏れ多いのだ、と本音を洩らした。日本人の師に対するこの畏敬の念と謙譲心に、僕はいつも感銘を受けずにいられない。

次に、凝視と呼気による緊急治療が説明された。

靈氣を手から発するための特別な儀式があるでしょうか、という質問が参加者からなされた。千代子先生は笑い、質問者の肩に手を置いて、

「オン」

と言い、その手を肩から離すと同時に、

「オフ」

とおっしゃった。靈氣は電気のスイッチと同じなのだ。

僕は千代子先生が腰痛を抱えているのでは、と気になっていた。何度か背を伸ばしたり、姿勢をひんぱんに変えたりしていたからだ。師の体に触れるのを良しとしない日本の伝統を承知のうえで、僕は千代子先生の背中に施術していいかと尋ねた。腰痛治療は僕の得意とするところだった。

「気づいてはったんですね」

と、快く申し出を受け入れてくださったので、参加者が去ったあと、僕は千代子先生の痛む腰に手を置いた。

「あなたの手は気持ちがいいですね。愛と経験を感じますよ。まるで途方もないエネルギーが私をいたわってくれているようです」

僕はこの言葉を僕個人への賛辞ではなく、西洋でレイキを実践している同胞たち全員へのねぎらいとして頂いた。どこの国でどの流派から学ぼうとも、靈氣のエネルギーはたったひとつ、一切の不純物を排した純粋な愛と光なのだ。

五日目、奥伝パート2

楽しい時はあっという間に過ぎるとはいえ、もう最終日。四日間の靈授により、僕の中の靈氣の質が変容していた。それは朝ぼらけに古い神社の境内をひとりで歩くのに似た感覚……真新しい風が朝もやをくぐり、杉の木の香が肌を包み、一羽のカラスが奇矯な一声をあげる……その時、現前するものすべてが、過不足なく完結する。長年、僕をさいなんできた靈氣への一抹の不安が、かき消された瞬間だった。

さて五日目もまた、五戒を唱え靈授を受けた。体に電気が走る感覚を再び味わいながら、感電するのではと危惧したほどだったが、僕の体はエネルギーの突風に十分耐えられるほどに強靭だった。両手と両足の裏は、レイキファイヤーで浄化された。

最終日のメインは遠隔治療。予想通り、西洋レイキで教わったシンボルとは異なる「しるし」とテクニックと考え方が伝授された。西洋に伝わった漢字が形を変えてしまう経過は、Aと書きながらこれはBですというのにも似ている。他のレイキを習った者に対し、千代子先生はよくこう尋ねたそうだ。

「あなたは日本人なのに、どうしてまたこんな字を書くの？」

「私の先生はこう教えてくれたのです」

「遠隔治療のしるしは呪文です。でも、あまりにも姿を変えてしまっていたら……」

千代子先生はそう憂いていた。

たしかに、性癖治療の言霊とそのやり方、遠隔治療の呪文などなど、西洋レイキでは形を異にしていた。僕たちは元の状態に回帰し、自分の家に戻らなければならなかった。苦しみを背後に捨て去り、宇宙との一体感の中で僕たちの本質を愛でるべきなのだ。その時がやって来た。靈氣がそれを可能にしてくれる時が。疑いや自我の妨げを超えて、ようやく家に帰ってきたのだ。

遠隔治療にはどの程度の時間をかけるべきか、と質問してみた。直接の施術、遠隔、性癖、どの場合もできるだけ長いに越したことはないが、少なくとも三十分はすべきです、というお答えだった。

遠隔をしている最中は集中力を失いがちなのですが、と訊くと、

「それはいっこうに構いませんよ。他のことを考えていてもいいんです。ただ、時々自分が何をしているのか思い出せば、それでいいんです。直接に手を当てている時でさえ、夢想に耽ることがありますが、靈氣はあなたの性格や精神活動とは無縁です。あなたの意識がそこになくても、エネルギーは出続けます。だからといって、いつも上の空でやりなさいと言ってはいませんよ……」

グループがペアに分かれ、「送り手」たちは部屋に残り「受け手」たちは階下に降りた。空間の隔たりが整った。結果は、驚くべきものだった。反応はまことに正確であり、病腺はそれまで感じたことがないほどに鮮明だった。僕は微笑まずにはいられなかった。

そして、修了証の授与式……。

千代子先生がいらっしゃるだけで、感覚が研ぎすまされるのを感じた。後に僕の生徒さんたちが同様の体験をしてくれたことで、それが錯覚ではないことが分かった。生徒のエネルギーレベルは、先生のそれに一時的に呼応するものらしい。

千代子先生の清らかな素朴さ、慎ましやかさ、落ち着きと確信に満ちた施術は、まさに人を覚醒させる何ものかだった。日々の生活を靈氣とともに生きてこられたのだ。先生が培ってこられた技術と

お人柄がミックスされて絶妙なレイキ・カクテルができあがり、僕はその香気に酔わされたのだった。

先生の前では、僕は幼子でしかなかった。別れ際、僕はこう告げた。

「靈氣の本物の大人に出会えて光栄です。これから多くの人々の乾きが癒されるように願っています」

忠夫先生には、僕と共著の本を出しませんかという提案をしてみた。それが、今にいたる実り多いふたりの共同作業の始まりだった。

千代子先生の前と後

最終日の夜に、僕たちは豪華なベジタリアン料理とビールで歓談した。ドイツに来てセミナーを開いていただけませんかと、千代子先生にお願いしてみた。その場でお返事はいただけなかったが、千代子先生が亡くなったあとに忠夫先生から、こんなことを聞いた。

「私はもうどこにも行きたくはないけど、フランクさんのいるドイツにだけは行ってみたいねぇ」

ウォルター・ルーベック、ハインツ・ショエルと何人かの友人を招いて再び京都のセミナーへ赴いたのは、その一年後。はるばる来日した彼らを、僕はまず臼井先生が眠る東京の西方寺へと案内し、翌日、京都へ移動した。セミナーは千代子先生のマンションで行われた。初めての外人だけが生徒のセミナーだ。なんという光栄だろう。

いわゆる病腺の「しるし」が登場すると、それを部屋の浄化にも使ってよいかどうかとウォルターが質問した。西洋レイキではそうしていたからだ。意味を計りかねていた千代子先生に、ウォルターは実際にそのしるしを使い部屋の浄化をやって見せた。部屋の真ん中と隅々に、空に描いたそのしるしともうひとつのしるしを飛ばすのだ。椅子に腰掛けてそれを観ていた千代子先生は汗をかいている様子で、ぱっと立つと窓を開け放ちこう言った。

「エネルギーが重過ぎます、窓を開けなきゃ！」

爆笑が巻き起こった。部屋の浄化には、五戒の軸を壁に掛けるか、五戒を三度奉唱するだけで十分です、というのが千代子先生のお考えだった。

ウォルターたちとともに山口家のお二人の霊授を受ける喜びはまた格別のもので、天にも昇る気持ちとしか言いようがなかった。

ウォルターたちは次々と質問を浴びせかけた。中には答えようのないような質問も多々あり、そんな時のお二人の答えはこうだった。

「林先生がそうおっしゃったから、そうなんです」

「考え過ぎですね」

後年、これらは僕たちの間の定番ジョークになった。

「靈氣ほど単純なものは世界にありませんよ」

林先生が行っていたという靈氣交換という儀式を、その日千代子先生は披露した。靈氣交換は、今では直傳靈氣の講義の中に取り入れられている。

ハインツ・ショエルは帰り際に、美しい水晶を千代子先生からいただいた。小川先生によると、臼井先生は治療に来られない患者さんに靈授をした水晶を渡していたという。それを痛む部位に置くだけで、靈氣をかけるのと同じような癒しが得られるのだ。

お別れの挨拶のとき、来年はご希望なら師範の勉強をしましょう、と言っていただいた。予想外のその言葉に、僕は思わず涙ぐんだ。

直傳靈氣を伝授

二〇〇二年七月十八日、僕は千代子先生から師範格を伝授され（フォト47）、靈授の仕方を習得した。翌年の二〇〇三年の夏には師範を授けていただくはずだったが、師範格セミナーの直後に僕の人生は大きな節目を迎え、日本に別れを告げ、ドイツに戻ることになってしまった。二〇〇三年八月十九日の夜、ドイツにいた僕は奇妙な夢をみた。死にかけている尼僧を何人もの僧侶が心配そうに取り巻き、祈祷を捧げマントラを奉唱している。僧侶たちの中に、僕自身もいた。翌日、日本から知らせが入った、千代子先生が亡くなられたと。なんということだろう、僕は葬儀にさえ参列できなかった。

二〇〇四年の夏、お母様の夢を果たすべく、忠夫先生がドイツの地を踏まれた。直傳靈氣が海外を席巻する、それが輝かしい第一歩だった。

忠夫先生から師範を伝授されたのは、二〇〇四年の七月二十八日。二〇〇七年には大師範を、二〇〇九年五月十八日に直傳霊気研究会の代表代行に迎えられ、忠夫先生の右腕として責任を遂行する栄誉を賜った。

忠夫先生は、お母様が果たしてきた役割を引き継がれ、そこに愛と献身と勤勉を注ぎ込んだ。千代子先生の魂は海を渡った。

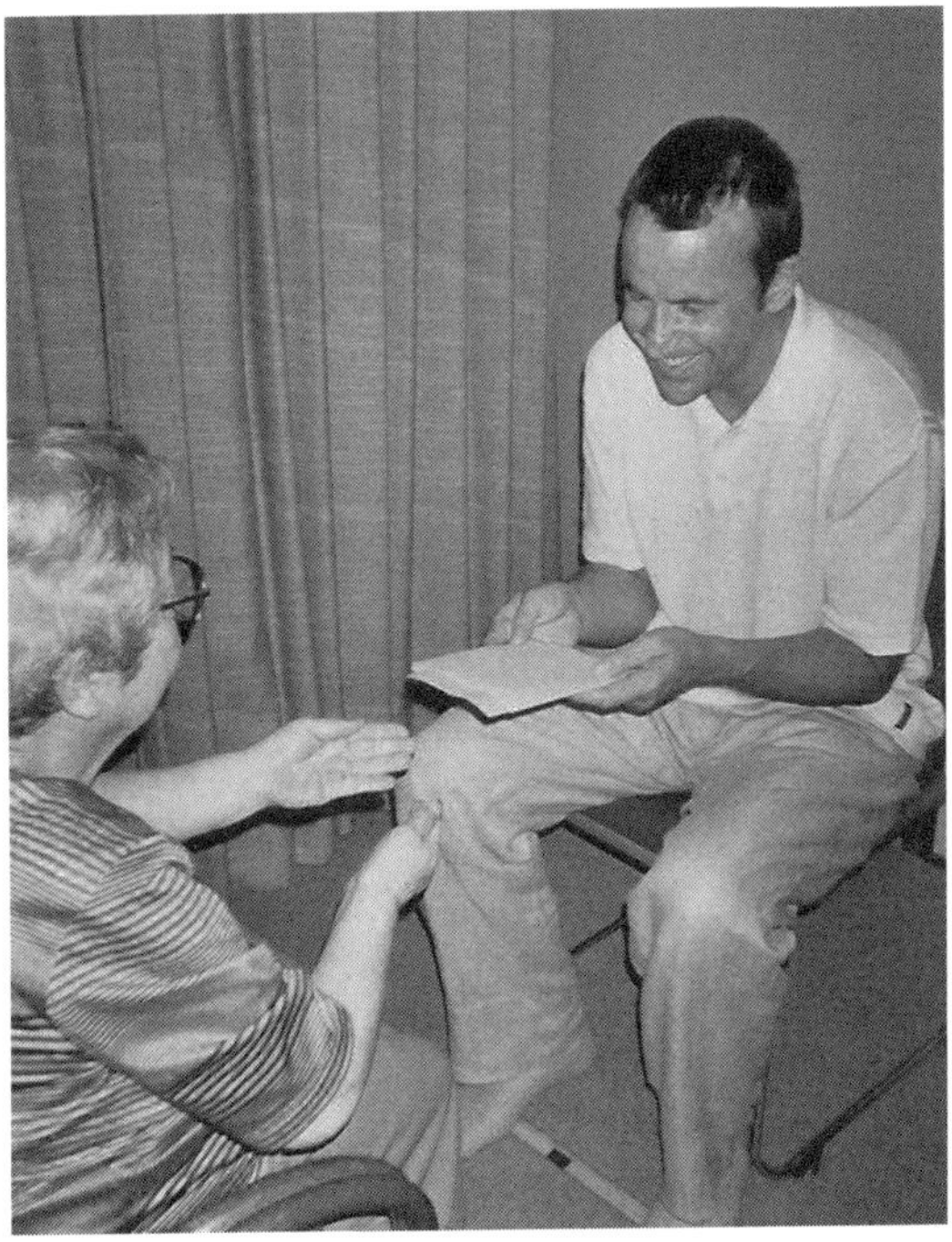

フォト47：千代子先生から師範格を伝授された著者

フォト 46：山口忠夫先生と鞍馬山で

もしあなたが自分を大切にする人生を送りたいなら、ぜひ忠夫先生のセミナーに参加してください。

セミナーの日程は、www.Jikiden-Reiki.com に詳らかです。

僕の居場所を知りたいなら、こちら。

www.ReikiDharma.com

第二章

靈氣ゆかりの地へ足を伸ばす

感謝

感謝は心の癒しです。
——高田ハワヨ

日本を体験する

アメリカ旅行からグランドキャニオンを外せないように、日本に来られたら京都は必見だ。靈氣を深く理解するためには、日本の風土に身を置くのが一番。この章では靈氣の聖地の香気を味わってください。

鞍馬山

鞍馬寺

京都は、世界で最も美しい街並のひとつだ。そこには一六五〇もの仏教寺院と四〇〇を数える神社が、息を呑む景観美をたたえて現存している。その中で、靈氣を愛する者がまず訪れるのは、鞍馬寺。

鞍馬寺は京都の北に位置する鞍馬山の斜面に端座する。山岳信仰と山伏による修行が盛んに行われた霊場だ。奈良の唐招提寺を創建した鑑真の高弟の鑑禎《がんてい》が、ある霊夢を見たのを契機に建立された。かつて

フォト 49：漢字で鞍馬と書かれた木製の看板

フォト 50：鞍馬山からの眺め

フォト 51：鞍馬寺の神聖なシンボル

は天台宗に属し、現在は鞍馬弘教総本山となっている。

天台宗は、日本における二大密教のひとつ。密教は九世紀に、最澄と空海という二人の僧侶によって中国からもたらされた。最澄（七六七〜八二二）は天台宗の祖であり、空海または弘法大師（七七四〜八三五）は、真言宗を開いた。

鞍馬寺には多くの文化財が安置されているが、なかでも国宝の毘沙門天は圧巻だ。この立像はたびたびの大火災から幸運にも免れた。毘沙門天のある本殿金堂の霊宝館には、千手観世音が安置されている。僕が見てきた多くの仏像のなかで、最も美しい像のひとつだ。その前に立つと、五戒の五番目の意味が分かるんだ、本当に！

ひとつの侘びた神社の祭壇の後ろに掛かる、円形のプレートに目が行くかもしれない。そこに描かれた三つのシンボル（フォト51）は、靈氣のシンボルとよく似ている。けれど、靈氣と鞍馬寺の関連を好まない寺からは、二〇〇八年の鞍馬寺の尼僧との接見の際にも、靈氣にからめた質問はしないようにとのお達しがあった。鞍馬寺にとって、臼井先生の発見は多くの悟りのひとつに過ぎないようだ。

尊天

本尊の尊天は、あらゆる生命を生かし、存在させる宇宙エネルギーだと言われる。尊天がこの世に具現した姿が、光の象徴である毘沙門天、愛の象徴である千手観世音、力の象徴である護法魔王尊だ。尊天はこれらの三位一体であり、ひとつひとつが全体でもある。千手観世音はインドではアヴァローキテシュヴェラと呼ばれ、月輪と呼応する愛と慈悲の観音だ。光は太陽と呼応し、インドでヴァイシュラヴァナと呼ばれる毘沙門天／多聞天に具現される。大地（地球）と呼応する力の霊王である護法魔王尊は、六五〇万年前に金星から鞍馬山に降り立ったとされている。

月のように美しく
太陽のように暖かく
大地のように力強く
尊天よ、あふるるみ恵みをあたえたまえ

フォト 52：天狗

仁王門

一匹は口を開け、もう一匹は口を閉じた阿吽の虎が仁王門を護衛する。阿は物事の始まりを、吽は物事の終わりを意味し、阿吽が万物を表している。門をくぐると、観音さまの蓮花から水が流れ落ちているのが目に入る。そこで、手と口を清めよう。

最初の石段

ここからが石段登りの始まりだが、案ずるには及ばない、松葉杖をついた僕の友人が制覇したぐらいだから。

登りきった最初の建物は普明殿で、屋内はケーブルカーの駅になっている。普明殿には、プレートに描かれたサンスクリットの呪文を背に、毘沙門天像が祀られている。左には特別な行事の際のみ開帳される護法魔王尊が、

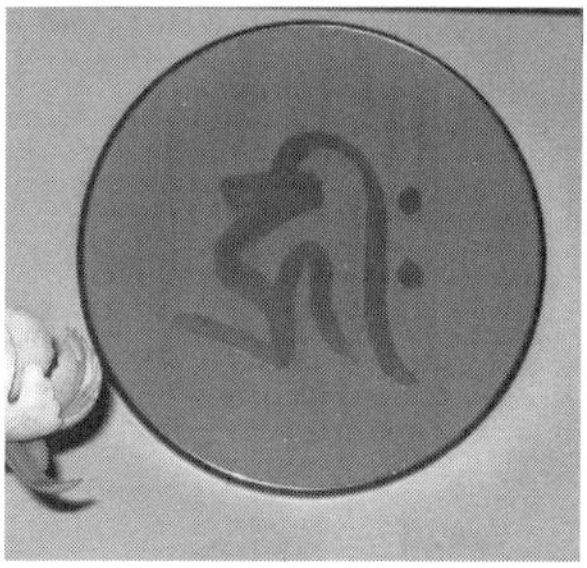

フォト53：千手観音サンスクリット種子

呪文のプレートを頭上に掲げている。右手にはこれも通常は拝めない千手観音像、その後ろにサンスクリットの種子《しゅじ》、hrih（キリク）が見える。靈氣の性癖治療に用いるマントラの原型だ。hrih（キリク）というシンボルは、苦しむ衆生を憐れんで阿弥陀如来が流した涙からできたと言われ、千手観音は地上の苦しみを救済する。

　徒歩で登るのが大変だという方は、ケーブルカーを利用すると多宝塔（フォト58）まで連れて行ってくれる。二日あるなら、ケーブルカーで多宝塔に行ってみてください。春の桜とツツジはとりわけ見事です。

フォト54：鞍馬寺に続く階段

徒歩で

階段を登り続けると、瞑想修行にふさわしい人口の小さな滝（フォト59）に出くわす。石板の上に屹立し、合掌してクラウンチャクラに水しぶきを受ける。けれど、ここで悟っちゃったら、先を目指す理由がなくなるね。臼井先生が悟りを得たのはこの滝だった、と小川先生は考えているようだが、確証は得られそうにない。小山先生の指導ハンドブックには、ひなびた小屋がそれではないかと書かれている。魔王殿だろうか。いや、山中深い人気のない所で野宿されていただろうと、僕はほぼ確信している。

フォト 55：仁王門の阿吽の虎の一匹

フォト 56：千手観音

フォト 57：地蔵

由岐神社～中門

急な階段を登ると、天を衝く三本の老杉のもとに、由岐神社が待ち構える（フォト60）。うっそうとした緑のなかを歩き続ける。中門をくぐる前に、右手の湧き水で喉を潤すのもいいだろう。

阿弥陀仏

転法輪堂《てんぽうりんどう》の手前で、参拝者は手と口を清める（フォト61）。お堂の引き戸は普段は閉まっているが、供え物の果物をねらう猿たちの侵入を防ぐためだ。閉めるのをお忘れなく！

お堂には阿弥陀仏（サンスクリット語でアミダーバ）または無量光仏の眩いばかりの黄金像が端座する。瞑想にこれほど適した場所が他にあるだろうか。

仏教が他のインドの宗教と考え方を異にするの

フォト 58：多宝塔

は、現実を受け入れながら自我の存在を認めない点だろう。自我あるいは自己は、蜃気楼のように心のあり様によって「命」を吹き込まれる心象、そう考えるなら、何も欲しないことの意味が納得できる。欲しがる主体が、ないのだから。

フォト 59：人口の滝

フォト 60：由岐神社の杉の老木

本殿金堂

本殿金堂前の広々とした庭の石畳には、幾何学模様の敷石が目に鮮やかだ（フォト63、本殿に向かって合掌するのは、僕の娘クリスティーナ）。

ここはパワースポットで、宇宙のレイキが立つ人のクラウンチャクラを直撃するそうだ！

また、本殿には宝殿という神秘的な地下室があり、三体の美しい尊天像のほかに、神々とつながりたい者たちの髪の毛（清浄髪）が壷に祀られている。壷は二万円。フランク・アジャバ・ペッターと書かれた壷を見つけたら、声をかけてやって下さいね！

宝殿に入ると最初の祭壇の前に、祈願と書かれた小さなプレートがあり、僕たちが西洋レイキで習っ

フォト61：転法輪堂前の手水

たマスターシンボルがその中に見て取れる。仏教ではどの宗派にも用いられる言葉で、靈氣とはそもそも何の関係もないそうだ。とはいえ、強いパワーのある言葉であるのは確かだ。

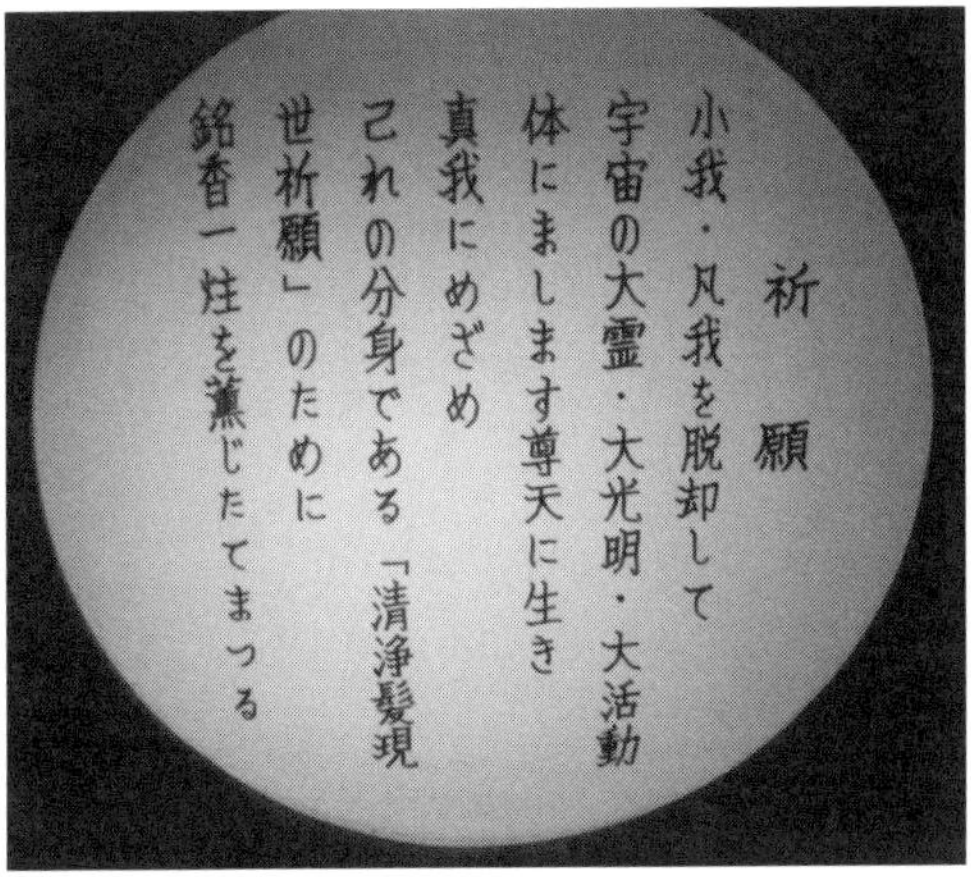
祈願
小我・凡我を脱却して
宇宙の大霊・大光明・大活動
体にまします尊天に生き
真我にめざめ
己れの分身である「清浄髪現
世祈願」のために
銘香一炷を薫じたてまつる

フォト62：本殿の祈願プレート

木の根道〜大杉権現社

臼井先生が鞍馬山を降りた時に足の指を怪我したエピソードは、この「木の根道」を見ればなるほどと思わされる（フォト20）。木の根道の奥には、大杉苑瞑想道場なる場所があり、昔、二人の巡礼者が般若心経を唱えている傍らで、ウィリアム・ランドとともに瞑想したことがあるが、なんとも言えない荘厳な体験だった。

そこに鎮座する大杉権現社は、鞍馬山の三つの小さな神社のひとつに該当する。小山先生が想像するように、臼井先生があるひなびた小屋が悟りを開いた場所だとするなら、まずはここを候補に挙げるべきだろう。

根幹を残すのみとなった樹齢千年の杉の巨木（フォト66）は、護法魔王尊の仮の姿だと考えられている。

チャクラ

森厳に気が満ちるあちらこちらに、チャクラを思わせる幾何学模様が点々としている（フォト67）。チャクラのつもりなのかどうかは、分からない。近くに、不動妙王を奉安する僧正ガ谷不動堂が見える。

奥の院魔王殿

自然美に溢れる神々しさに包まれたなら、そこは鞍馬山で最も神聖な場所、奥の院魔王殿だ（フォト18と68）。しばらくはそこでたっぷりと宇宙の力を吸い込んでいただきたい。新宗教「大本」の開祖の出口王仁三郎もまた、ここで心霊体験をしたと言われる。西門をくぐりながらそのエネルギーフィールドに別れを告げ、貴船へと向かう。

フォト63：娘のクリスティーナと宇宙のレイキ

フォト 64：本殿金堂

フォト 65：鐘楼

フォト 66：大杉権現社

貴船神社

一幅の画のごとくエキゾチックな街貴船は、神社と立ち並ぶ旅館でその名を馳せる。夕刻の貴船神社への参道は火を灯した提灯に彩られ、形容しがたい美しさを醸し出している。

西方寺

鞍馬山に次ぐ靈氣ゆかりの地、それは臼井先生が眠る西方寺だ。浄土宗の寺であるこ

フォト67：チャクラに似た幾何学模様

フォト68：奥の院魔王殿

フォト69：貴船神社

とから、臼井先生の宗派がそれと知れる。

　西方寺に初めて墓参したのは一九九四年の九月二十日、日本人の友人たちに空港で迎えられ、丸ノ内線の新高円寺という駅で降りた（フォト71）。駅からは徒歩で、臼井先生が眠る墓碑に辿り着いた。以下は、その夜の僕の日記から。

『臼井先生は靈氣で何百万もの人々の心に触れ、僕たちの人生に光明をもたらした。それに対するひとりひとりの感謝の気持ちを、どう表したらよいのだろう。身近なできそうなことをしてみた。墓碑の周りの枯れ葉を

フォト70：臼井先生の功徳の碑

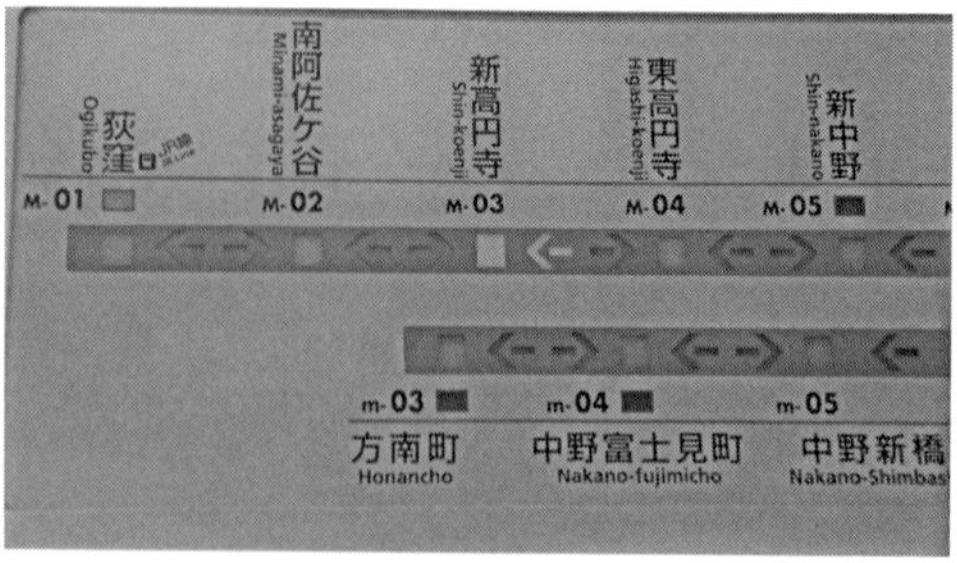

フォト71：丸の内線の新高円寺駅

集め、カラスが残した生ゴミを拾った。墓標と石畳に水をかけて清めた。墓前のふたつの花入のしなびた献花を、水々しいものと入れ替えた。二本のロウソクとお線香に火を灯した。お線香の強い香りが一瞬僕を死者の国へトランスポートし、空は曇っていたのにまるで全てを超越するような光が優しく注ぎ、日光浴している気持ちになった。僕は思わず臼井先生に頭を垂れた、臼井先生もまた宇宙と愛と神に黙礼しているのを感じながら。僕たちは出逢い、一瞬の間、ひとつになった』

予期せぬ驚きが、僕たちを待っていた。墓碑の横にそびえ立つ石碑、そこには臼井先生の生涯の功績を讃えた文字が刻まれているらしいのだ。臼井先生にまつわる記述が発見された試しは、かつてなかった。日本人の友だちに碑文の意味を訊いた。ふたりは日本人に典型的な謎めいた表情で顔を見合い、何も応えてくれなかった。僕はもう一度お願いした。応答なし。三度目には、やや語気を強めた。答えは、

「申し訳ないですが、読めないんです」

その友人は精神世界のジャンルで著名な翻訳家なのだ。僕はからかわれているのかと疑った。

「古い漢字で書かれているので、一九四〇年代の改革以降の平易な漢字に慣れている我々には、とこ

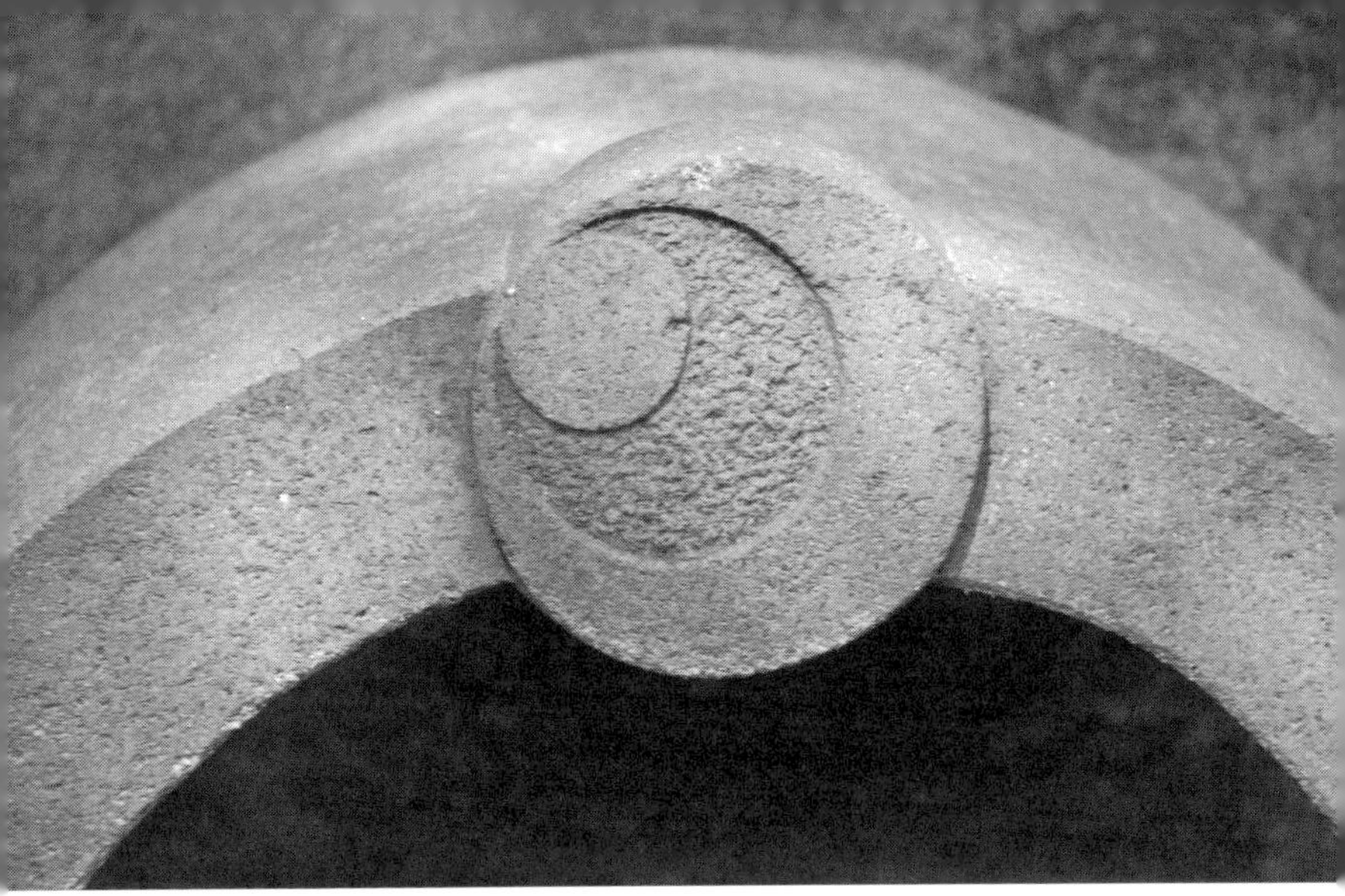

フォト 72：臼井家の家紋

フォト 73：臼井家の墓

ろどころしか読めないのです」

そこで僕はカメラ二つとビデオを取り出し、石碑の全文を撮りまくった。古典に詳しい義母がそれを現代語に訳してくれた。

ともあれ、ついに臼井先生に関する文書が、石碑という形で現出したのだ！

谷合

臼井先生の生誕の地については、第一章で、すでに述べたので、ここでは写真を紹介するに留めよう。

谷合は京都から北に車で二時間半（フォト74）、岐阜県の山間に佇む村だ。岐阜県は刀剣、味噌、酒、米、畳、合掌造りの家並みで知られている。雰囲気を味わいたい方は、トム・クルーズ主演の映画『ラストサムライ』をご覧下さい。

集落を縫うように清流が流れる（フォト77）。

少年時代の臼井先生は、ここで水遊びに興じたのではなかろうか。電柱を結ぶ電線を消したなら（フォト79）、臼井先生の時代を想像するのはさして難しいことではなさそうだ。

フォト 75：谷合のプレート

フォト 76：あちこちで見られる漢字、臼井

フォト 74：岐阜県の谷合付近

フォト 77：谷合を流れる川

フォト 78：天鷹神社

フォト 79：谷合の大通り

フォト 80：善導寺の湧き水を飲む山口忠夫先生

第三章

靈氣の歴史的、文化的、宗教的背景

変容

心の患いが癒されれば、
人は神や仏のような
心になれる
——臼井先生

ある出逢い

一九九七年。友人に、天台宗の尼僧に会ってみないかと誘われた。お互い気が合うだろうからと。人気の少ない札幌のバス停でミョウユウさんと待ち合わせた。かたや外人、かたや剃髪した尼僧、相手を間違えるはずはなかった。乗って来た車でミョウユウさんを拾うと、小樽にある彼女のお祖父さんの寺に向かった。途中ミョウユウさんは、空きっ腹だと「トーク」ができないのだとささやいた。トークとは仏陀とのチャネリングのことだ。僕たちは寺にほど近いレストランに入った。当時にはめずらしくアイリッシュビールのタップがあった。すかさずそれをオーダーしてミョウユウさんを見ると、すでにタバコをくゆらせ同じビールを注文していた。まるでコメディー、黒い僧衣の尼僧と外人が、煙をふかしながらビールを酌み交わしている。ウェイターがひっくり返りそうだったのも、ムリはなかった。

寺の中は、東洋の静けさに支配されていた。レイキのシンボルである、サンスクリット文字が目に飛び込んだ。それについて問いたかったが、イニシエーションを受けていない人にレイキのシンボルを明かすわけにはいかない。

椅子に腰掛けて合掌し黙想した。祭壇を聖なる空気が包み、仏陀と静謐というネクター（※ギリシャ神話で神々が飲む生命の酒）が、空っぽな貝殻のような僕たちを満たしていた。ミョウユウさんはしきりに

フォト 81：空海または弘法大師

指を動かし、ダイナムドラー（定印）のポーズをとっていた。

その時、奇妙な映像が僕を捉えた。

一匹のモグラがミョウユウさんの頭蓋骨の内側にもぐり込み、後頭部から前頭葉に向かってトンネルを掘っている！

その日、僕はミョウユウさんに性癖治療のシンボルを見せ、彼女はそれが何であるかを説明してくれた。以来十四年間、僕はその意味を追い求め、深めていくことになる。

性癖治療のシンボルのルーツ

性癖治療のシンボル、それはサンスクリット語の梵字にルーツを持っている。梵字は聖なるアルファベットとも、仏陀のアルファベットとも言われるものだ。臼井先生は hrih という種子《しゅじ》あるいは梵字をシンプルな形に変えて、靈氣に取り入れた。

臼井家の墓地にはこの梵字が見られる。幼少の頃より見慣れていた字だったに違いない。浄土宗の本尊は阿弥陀如来であり、日本語ではキリクと呼ばれるこのシンボルに象徴される。日本語には「ん」以外の子音で終わる語がないので、hrih を正しく発音することができず、どうしても母音で終わらざるをえない。僕の名前も Frank ではなく、Fu ran ku になるわけだ。

日本における仏教の歴史

サンスクリット語の種子が日本の宗教や文化に取り入れられた経緯を追ってみよう。

時は紀元前三世紀、仏教を守護したインドの覇者アショーカ王の功績により、仏教はふたつの地理的な発展を遂げ、それぞれの地方の風俗習慣を取り入れながら伝播した。ひとつは東南の方向に広がり、テーラワーダ（上座部）仏教と呼ばれた。やや遅れて北東に渡った動きは、マハーヤーナ（大乗）仏教として知られるようになった。テーラワーダはのちにヒナヤーナ（小乗）という差別的な呼称で位置づけられた。

日本に渡ったのは中国経由のマハーヤーナ仏教。中国本土を席巻する過程で、サンスクリット語とパーリ語の教典は中国語に訳され、そのことが日本に仏教を拡散させる引き金となった。独自の書き言葉が確立していなかった五世紀から六世紀の日本は、漢字を和風に読み下して、中国伝来の仏典を取り入れたのだった。

八〇四年、空海と最澄が遣唐使として中国本土へ旅立った。二人の目的は、中国語に訳された時点で失われた内容を、原典のサンスクリット語で学ぶことだった。九州から出航した四船のうち二船は遭難。最澄と空海をそれぞれ乗せた二船だけが、浙江省の別々の場所にたどり着いた。

空海は密教僧の恵果（えか／けいか）に師事した。最澄は天台山に登り、有名なインドの大家ナーガールジュナ（龍樹）の法華経を主に学んだ。最澄は原典を読めるまでになり、空海は中国語にもよく通じた。

帰国後、最澄はカリスマ空海の弟子となったが、ある時点から宗教観の決定的な違いを悟り、道を分かつことになった。最澄は天台宗を、空海は真言宗を開いた。現在、このふたつは密教と呼ばれている。臼井家の宗派である浄土宗は、天台宗が基となっている。

テーラワーダとマハーヤーナ仏教に戻ろう。インド（というよりは現在のネパール）で産声をあげた仏教は、ヒンドゥー教のハートランドに根付く機会を与えられず、その慈愛を受け入れてくれる別の岸辺へと流れて行った。

テーラワーダ仏教

東南を経てスリランカ、ミャンマー、カンボジア、タイ、インドシナへそれは伝播した。この南伝仏教はアショーカ王時代に生まれ、厳しい戒律を旨としている。女性は不浄とされ、僧侶は男性に限られた。こうした考えが東南アジア諸国の文化に受け入れられ、現在でも根付いている。木の元に座して微笑む聖人「羅漢」の教えを究極のゴールとする。その偏狭さにおいて、大乗の側からはヒナヤーナ（小乗）と呼ばれ蔑視されている。それはそうだろう、男性にしか悟りは開けないと言っているのだから。

マハーヤーナ仏教

ヒマラヤ山脈を越えて北上し、中国、チベット、ブータン、ネパール、韓国、日本に根を下ろした。ヒマラヤ越えの最中、強く誇り高い現地の女性たちに遭遇した仏教は、男性オンリーの考え方の修正を余儀なくされ、性別や階級を問わない全人類の救済を目指す方向へと変わって行った。

日本では土着の神道との融合がなされ、仏教の教えに世俗的な強靭さが加わった。それは日本人の生き方に即応するものだった。日本人の誰かに宗教は何かと問うてみるとする。仏教と答えるだろう。同じ人に数分後、では神道を信じているかと尋ねると、神道は宗教ではない、生き方であり生活の仕方だと答えるかもしれない。その人自身が神道なのだ。マハーヤーナ仏教は日本において、浄土宗、華厳宗、天台宗、真言宗、そして禅宗という宗派を築いた。

性癖治療の基本を説明するために、マハーヤーナ仏教には二種類の仏陀が存在し、ふたつの仏陀ファミリーがあることを知っていただこう。

如来

最初のファミリーは如来（サンスクリット語ではタターガタ）、最高位の仏陀だ。仏陀は誕生するはるか昔に、五つの祝福された存在が完全な悟りに達するだろうと説いた。それらが悟りを得たとき地上における形は全うされ、それぞれの浄土または極楽を現出する。のちに如来は数が増えた。

如来とは浄土入りした者のことだが、浄土につながる道は一方通行、一度入ったら戻れない。が、人類の役に立ちたいと切に希望したなら、リ・エントリーが一度だけ許可される。この再入国に当たっては新たなカルマを背負わされないので、カルマの学びを一から始める必要はない。如来はいったんカルマの輪を完結しているから、それ以上学ばなくてよいのだ。この優位性により如来は光を放ち、直視する者を一瞬にして焼尽してしまう。僕たちは如来を直視することができない。

左は、如来のリストだ。

サンスクリット	日本語
ゴータマ仏陀（実在した仏陀）	釈迦
マハーヴァイローチャナ	大日如来
バイシャジャ	薬師如来
ローケーシュヴァラ　ラジャ	世自在王如来
マイトレーヤ	弥勒如来

アクショービヤ	阿閦如来
ラトナサンバヴァ	宝生如来
アモーガシャディ	不空成就如来
アミターバ	阿弥陀如来

中でも五智如来は最も重要だ。

大日如来……………中央
阿閦如来……………東方
宝生如来……………南方
阿弥陀如来…………西方
不空成就如来………北方

靈氣において大きな役割を果たしているのが、無限の光であり西方の極楽浄土を司る阿弥陀如来。仏陀が悟りを開いて仏国を創るよりはるか以前、法蔵比丘（サンスクリット語でダルマーカラ）という名で出家したひとりの僧がいた。気の遠くなるような年月を修行に費やしたのちに悟りを得て、阿弥陀如来として知られるようになり、西方極楽浄土という仏国を創った。日本の大きな都市、例えば京都の阿弥陀如来を祀る寺は、その地を霊的に守る意味で、必ず西の方に建立されている。同様に他の方角の如来たちを祀る寺も、それぞれの方角に建っている。

阿弥陀仏陀は、僕たちの体の中にも住んでいるんだ。どこかって？　ミョウユウさんの頭皮が動いていて、まるでモグラが穴を掘っているように見えたあの話。あれは、ミョウユウさんは、阿弥陀如来の存在をクラウンチャクラに感じていたんだ。

伝説によると、阿弥陀仏陀はある日、西方浄土より地上をご覧になりながら、衆生が苦しみ嘆くのを救いに行けないことを哀れまれ、涙を流された。地上に落ちたこの涙から生まれたのがアヴァローキテーシュヴァラ（観音菩薩）であり、サンスクリット語の種子のHrih（キリーク）なのだという。密教でこのシンボルが涙を背景に描かれることが多いのには、そういう訳がある。観音菩薩と阿弥陀仏陀はすなわち、同じＤＮＡを持つ親子だと言えるだろう。

子もまた親の無限大の愛と慈悲を受け継いでいるのだが、子には親が持たない特質が与えられている。それは、僕たち人類を直接救済することができ、日常のいたるところであなたの前に現れることだ。（だから、いつも気を抜かないで！　それはガソリンスタンドのお兄ちゃんかもしれないし、いつも行くパン屋のオバさんかもしれませんよ！）

ボーディサットヴァ（菩薩）

あまりの神々しさのゆえに、仏陀たちは人間に直に接することができない。そこで生まれたのが、菩薩だ。菩薩は悟りを開いた人間であり、敢えて浄土入りをしないばかりか、苦悩する僕たちのために浄土への扉を開けたままにしておいてくれる。

菩薩は僕たちの周りに出現する、例えば主婦、銀行の受付嬢、ホームレス、アスリート……。よくよく目を見開いて、出会う人ひとりひとりがあなたを救いに導く菩薩さまだと看做して遇するといい。菩薩さまは、苦悩から至福へいたる革命的サイクルを経験済みでいらっしゃるので、僕たちにその方法を教えてくださいます。

菩薩はまた、一切衆生が浄土へ入るまで自分は入らないと誓った。ということは、菩薩は未来永劫、扉の前で立っているわけだ。だって、全員が浄土へ入るなんてあり得ないでしょう。この菩薩の誓いにインスピレーションを刺激され、こんな文章を書いてみた。

誓い

あなたの家を百万回も訪れたが、いまだにあなたが誰なのか認識できない。あなたの香りで察しがつくはずなのに、理解不可能な理由によって、私の五感はあなたの面前で塞がれてしまう。この非力な能力にあなたは呆れている。けれど、これだけは言わせて欲しい。

〝あなたの心と私の心は最初の出逢いの時からひとつだ。私はけして扉に鍵をかけないと誓った。それは遠い昔に決められた約束のためだ〟

私のやり方は奇妙に見えるかもしれない、けれど私はあなたの忠実なエージェント。他の人々を助けることで、あなたのためになろうとしている。私は他の人々のものを運び、私のものは彼らに捧げる。彼らはあなたの手を見つけるために、私の手を必要とする。あなたをそこへ連れていこう、なぜなら彼らはあなたを見つける方法を知らないから。

晩餐を待たずに行くことを許してください。私はこの乾きを癒してはならない、空腹を満たしてはいけない。私の心の渇望には苦い薬がふさわしい。あなたの腕のなかにいたなら、再びやって来る高邁な気力が、甘美さによって削がれてしまうかもしれないから。

女性の菩薩クワンイン

マハーヤーナ仏教のエッセンスに触れるような、美しい尼僧の伝説を紹介しよう。

ある仏僧の弟子にクワンインという女性がいた。あたかも臼井先生のように悟りを探し求め、師にそれがいつ得られるかと尋ねた。師は「来世で男に生まれ変わったなら、得られるだろう」と答えた。クワンインはこれに承服しかねた。そして、男女の性別が悟りへの条件ならば、自分はけして男に生まれ変わらない、と誓った。そうして、求めた悟りには辿り着かなかったが、この世の衆生を救い続けた、永遠に……。

菩薩の誓願

悟りを模索する者一切を救済し、我が身は、一切衆生が悟りを開いた後に、最後に解放される者となりますように。観世音菩薩がそうされるように。

左に菩薩の一部を紹介する。

サンスクリット	日本語
ボーディサットヴァ・ダーラニーパラ	総持菩薩
ボーディサットヴァ・ラトナパーラ	鳳凰菩薩
ボーディサットヴァ・バイシャジャラージャ	薬王菩薩
ボーディサットヴァ・パイシャジャサドガタ	薬上菩薩

ボーディサットヴァ・アヴァローキテーシュヴァラ	観世音菩薩
ボーディサットヴァ・マハースターマプラープタ	大勢至菩薩
ボーディサットヴァ・アヴァタマサーカー	華厳菩薩
ボーディサットヴァ・スートララマカーラ	宝蔵菩薩
ボーディサットヴァ・シラカーヤ	徳蔵菩薩
ボーディサットヴァ・ヴァッシュガルバ	金剛蔵菩薩
ボーディサットヴァ・アーカーシャガルバ	虚空蔵菩薩
ボーディサットヴァ・マイトレーヤ	弥勒菩薩
ボーディサットヴァ・サマンタバドラ	普賢菩薩
ボーディサットヴァ・マンジュシュリー	文殊菩薩

菩薩全般に共通な性質は、慈悲（マイトリー・カルナー）と知恵（プラジャナ）だ。慈悲は悟りという実りをもたらす種子とみなされる。ここで、五戒の五番目「人に親切に」を思い出して欲しい。

千手観音（観世音菩薩）

観音もまた様々な衣装をまとって現れる。靈氣にふさわしい装束が千手観音、鞍馬寺の本尊だ。父

フォト 82 と 83：木と石に描かれた種子キリーク

親の阿弥陀如来が西というひとつの方向を担当しているように、千手観音は北を任されている。鞍馬寺は京都の北方に位置する。もし、お宅に観音像やキリークのシンボルをお持ちなら、部屋や家の北に、南に面するように置くとよいだろう（フォト82と83）。

千手の千という数字は、無限を表すと解釈しよう。なぜそんなに多くの手が必要なのか。言うまでもないが、苦しむ人の数が無限に多いからだ。実際の像容では、四十本の手がそれぞれ二十五の世界を救う、つまり合計千であるとされている。天上界から地獄までの間には二十五の世界があるという考えだ。

それぞれの手がさまざまな持物を握っていて、それらは

フォト 84：美しい観音、京都にて

啓蒙を象徴する巻物の仏典であったり、悪霊を振り払う剣だったりする。手のひらの一眼を前にしたら、偽らざる自分をさらけ出してください。何もかもお見通しの眼なのだから、隠してもムダです。千手観音は女性であることが多いが、男性の場合も両性具有の場合もあるところから、菩薩は霊性と同じように、性別を持たないことが分かる。鞍馬寺では、虎(フォト86)とムカデが千手観音の使いだとされる。散歩の途中でばったり虎に出会ったら、精一杯優しくしてあげよう。

阿弥陀如来と千手観音は、どちらもキリークのシンボルに象徴される。そのことをしっかり踏まえていると、性癖治療への気構えが違ってくるだろう。

フォト85：京都の千手観音

フォト86：鞍馬の虎

性癖治療

臼井先生は公開伝授説明で、第一に心を癒せば肉体は自ずから元気になると述べ、二つの癒しの方法を弟子たちに示した。ひとつは五戒を日々唱え実践すること、そしてもうひとつは「性癖治療」。これによって患いや煩悶、虚弱、臆病、優柔不断、神経質などの悪癖が矯正された心は、神や仏のようになり自他ともに幸福に満たされるというのだ。病気がいかに体の問題ではなく心の問題であるのかを、再認識させられる。

悪癖を退散させる闘いでは、単純化されたHrih（キリーク）の印《しるし》と言霊がコンビを組んで働いてくれる。そして、印のパワーを借りながら千手観音の助けを請う。すると千手観音さまが受け手の魂とともに御業を為される。こうして上訴が完了すると、あとは傍聴人として癒しの行程を眺めているだけでいい。

では頼まれていない人の悪癖を改善してあげたいときには、どうしたらよいか。日本人は、人の魂に性癖を使うのは厚かまし過ぎる、人の魂の問題を知ったかぶりするのはよろしくないと考えているようだ。ドイツにはキリスト教の祈りによる癒しがあるが、やはり同じ考え方を標榜している。代理人の役目は、あくまでも最高裁に任せておくのがいいかもしれない。

臼井先生と同時代の療法

靈氣が臼井先生によってもたらされた大正時代はまた、霊能者たちが百花繚乱の活況を呈した時でもあった。神道、仏教、儒教などをバックグラウンドに組織化したそれらのグループは、心、魂、氣を三位一体とし、社会の再編成、魂の復興、より良い世界の創造を目指し活動した。

神道は日本のオリジナルの思想だ。アニミズムまたはシャーマニズムを基とし、この美しい地上のいたるところに神や魂が存在するという考えから、木、岩、滝など、自然界のあらゆる驚異が神として崇められる。

行基は仏教を日本に定着させるために、アマテラスと仏陀の相似性を全面に出した。その結果、仏教と神道は、そこに儒教をミックスした日本人お得意のカクテルになった。

厳格な仏教徒は日本の仏教を仏教とみなしていないが、そこは島国ニッポン、ブリーダーの天国だ。国民性に合わせて、いかようにも統合が許された。

療法が目的ではない他のスピリチャルグループは、より深淵な密教的活動を行い、新興宗教と呼ばれた。

第四章

靈氣の実践

献身

臼井先生は鞍馬山に
死を賭して入山しました。
同じ献身をもって、
靈氣を実践しましょう
——小山先生

靈氣による癒し

心と体はひとつのもの。その和合を切り離そうとすると、僕たちは粉々に砕けてしまう。砕けた破片を元に戻すのは、不可能ではないにしても、容易なことではない。一枚の写真をハサミで粉々に切り刻んだ状態を想像してみてください。(でもご自分に試さないでね!)

魂は人みな一様に神から与えられると、日本人は考えている。臼井先生は公開伝授において、生来霊性の高い者にのみ靈氣は与えられるのか、という質問に答えて、この世に生を受けた者なら誰でもできる、と断言された。つまり、僕たちは皆例外なく、靈氣ができるんだ。

魂はクラウンチャクラ(頭のてっぺん)と第三の目からそれぞれ伸ばした線が交わる辺りに存在する、と日本人は考えている。解剖学的には、松果体のある辺り。だが、解剖したところで、魂を見つけられはしない。ちなみに、シャクティパスと呼ばれるインドの瞑想法でも、この魂の住処が意識される(僕は若い頃にこの儀式をオショウから何度か受けたことがある)。

魂は、永遠不滅だ。それは進化の過程を終えるまで、言い換えれば、この世で学ぶべきことを理解するまで、何度も何度も繰り返し戻ってくる。過程を終えた魂は、浄土に入る……輪廻のたびに経験した内容は、まるで巨大なハードディスクに保存されるように、データとして魂に保管される。そして良いもの悪いものをひっくるめた膨大な体験の記録を基に、さまざまな習慣——良いものだけとは限らず、好ましくない習慣も含めて、性癖が形成される。性癖治療は、そうした前世からの好ましくない習慣でさえも改善する。

臼井先生はまた、「靈氣は物質的療法とも言えるが、心霊的療法とも言える」と述べた。頭に施術すると何が起きるかは、この観点を踏まえるなら説明がつく。頭に手を当てると、靈氣は体をめぐるだけではなく、魂を活性化し、浄化するからだ。永遠の魂に触れているあなたは、おのずから畏敬と謙遜の念に満たされる。あなたは過去、現在、未来を同時に癒し、活性化し、浄化していることになる。

一番大切なのによく忘れられる靈氣の役目は、実際に手を当てること。靈氣を受けることで清められ、天と地と一体になることができる。そう、あたかも巫女のように、神々の媒体になるのだ。

体と魂は互いに結びついている。一昔前のレストランのスウィングドアのように、僕たちは体を通って魂に入り、魂を通って体に入る。

西洋式の施術

高田ハワヨ先生の遺贈である西洋式施術法だけを習ったという方がいたら、次の章で説明する「病腺」は、ことさら新鮮に思われるだろう。

ハンドポジションはたしかに初心者にはうってつけだし、あまり施術をする機会がない、あるいは、先生に頻繁に会えないという方には、ありがたい方法に違いない。体中にエネルギーが送られるから、一般的な病ならおおかたは癒される。ストレスが原因の体の故障、不眠症、不定愁訴などであれば、初回の施術中または術後にたちまち改善される。これは魔法にあらず、体はいったんエネルギーを受けると即座にデトックスし始めるからだ。だから、西洋式がいけないということはないし、時には西洋式の方がいいこともある。

しかしながら、西洋式方法と病腺に耳を傾けることとの違いは、こんなことだと僕は思う。家が火事になったとしよう。そこら中を水浸しにするか、ガス台に放置されて焦げ付いた鍋の火だけを消しとめるか。

西洋式の施術を行いたい方には、ももの付け根、膝の裏側、足首と足の裏をハンドポジションに追加するといいだろう。

自己靈氣

自己靈氣はぜひ行うべきであり、励行することにより繊細な手の感覚が得られる。伝統的な靈氣ではハンドポジションは決まっていないから、どこに手を置いても構わない。重病を自己靈氣で克服した友人たちなら、枚挙にいとまがない。皆さんに教えてあげてください！

片手あるいは両手が空いていたら、いつでもどこでも僕は自分に靈氣をかける。サッカーの試合や映画を観ている時、両手はじっとしているけれど、忙しく働いているんだ！　靈氣のセミナー中や飛行機で地球を移動中にも、両手があるべき場所はただひとつ、ボディの上！

病腺と靈氣の働き方

病腺という語は、辞書には載っていない靈氣用語だ。靈氣以外の癒しの術で、この語に出会ったことはいまだかつてない。この臼井先生の造語である病腺とは、血液やリンパに毒素が堆積したり詰まったりする状態を指している。

ここで、千代子先生が教えてくださった、林先生のたとえ話を思い出してみよう。

一見すると澄んでいる水の流れに手を入れて底からかき回すと（靈氣をかけると）、泥が浮いて水が濁る。溜まった毒素が体液に入り込む状態のことだ。毒素は体から出ようとして血液、リンパ液、汗や胃液の流れに乗る。施術を重ねるにつれ、体はどんどん浄化され、ついには川の濁りは消え、毒素のない状態になる。

ただし、毒素の一部は排出されずにまた川底に溜まっていく。次の施術によってそれらはかき回されて水面に浮上し、除去される。流れが清くなったときが、健康を取り戻したときだ。

さあ、日々の自己靈氣の大切さが分かっていただけただろうか。

体の毒性

ある部分に毒素が溜まるのは、自然浄化作用と呼ばれる自然の働きだ。逆に、この溜まるべき部分に溜まらないと、体中が毒に冒されることになるので、ダメージを最小限に食い止めようとする本来体が持つ知恵なのだ。

ゴミ捨てのプロセスを当てはめてみよう。

きみがグッドボーイなら、ゴミを分別してそれぞれのゴミ箱に捨てるだろう。それらが一杯になったら、近所の所定の場所に持って行く。市の清掃係が何人かで回収にやって来る。その清掃係の人数、つまりマンパワーを体のエネルギーとしよう。

清掃係のひとりが病気になり、残りの者たちだけでは回収しきれず、ゴミを残していった。これは、体のエネルギーが低下した状態だ。残されたゴミが延々と回収されなかったら、どうなるかは分かりますよね……。

平均浄化

毒素の溜まり方には法則があり、それは人生の他のいろいろな要素と同じように、平均を旨としている。体はミラクルだ。この平均浄化の法則により、毒素は常に体の左右にほぼ同じだけ溜まっていくのだが、痛みは、どちらかやや多く溜まっている方に覚える。

痛む方に靈氣をかけてその痛みが治まると、今度は反対側が痛み出す。「痛みが動いた」と俗にいわれる現象だが、いえいえ、痛みは動きません！　脳の神経学的トリックなのだ。例えば、料理中に指を切ってしまい、そこがズキズキと痛むとしよう。他の指を思い切り噛んでみてください。切った指の痛みが消えるはずだ。

つまり、僕たちは常に体の左右両方に施術すべきなのだ。左右対称に同じ臓器がない場合も、毒素は同程度に蓄積している。

エネルギーの低下

定期的なデトックスにはあるレベルのエネルギーが必要だが、不適切な食生活や寝不足、運動不足、強い薬またはドラッグ、環境ハザードなど、ギャングがよってたかってエネルギーを弱めることがある。そんなこんなでデトックスがうまくいかないとき、毒素は次の場所に堆積する。

一、大きな関節
二、内臓
三、リンパ
四、頭
五、弱い部分

これらは最もよく動かすか動く部分で、実は内臓も正しく機能するために常に振動している。内臓の組織は筋肉のそれに似て、適度に動いていないと衰えてしまう。内臓を囲む血管に毒素が溜まるとこの運動が妨げられ、機能に支障が起きる。

体と心と魂と環境がうまく働いている限り、溜まった毒素は予定表通りに排出される。内臓の排出ルートは胃腸、リンパ、肝臓、腎臓、膀胱、そして体液。汗腺はもちろん排出口だが、働きが低下していると皮膚を通してデトックスする。

ポジティブになろう

靈氣の流れは一方通行。宇宙の巡行の一部となった僕たちの体を流れるエネルギーは、自分の所有物ではあり得ない。僕たちはただそれが体中をフローし、完全に満たすのを受け入れるチャネラーになるのだ。宇宙のネクターが満タンになると、もう何ものも入り込むことはできない。マイナス思考やネガティブなエネルギーが戻ってくるスペースは、もうどこにもないのだ。

施術をしている時、クライエントからマイナスのエネルギーや病を受ける心配が一切ないのは、高次のエネルギーは下位のそれを変容し、魂のエネルギーはマイナスのものが入り込むスペースを与えない、というルールによる。

そもそもネガティブな気持ちは、過去の内面的なまたは実際のネガティブな体験に基づいている。どうか、気をつけて！　それらを反芻することであなたはネガティブなものに栄養を与え、育ててしまいかねない。たとえ生い立ちや社会や宗教的文化的背景に原因があるとしても、それらを育ててしまったのはあなた自身なのだから、しっかりと責任を持っていただきたい。あなたの中にあるネガティブなものを排除できるのは、地球上でただあなただけ。永久にお子さまでいるわけにはいかない……。

ではどうしたら排除できるか。ネガティブな思考や感情に見舞われたら、それとじっくり付き合ったり膨らませたりしないで、とにかくやり過ごしてしまうこと。責任を持ってそうすることなんだ。責任を他に転嫁するのはいともたやすいが、そうするとずっと被害者でい続けることになり、被害者である間はみじめな状況から脱することはできない。生きる熱意を持つための旅路の第一歩は、自分に責任を持つことから始まる。

靈氣の靈という字が宇宙の恩寵を貯める器を意味することは、前にも述べた。この器がゴミ箱に使われているとしたら、もとの使用目的に戻してあげるのが、あなたの仕事です。

精神と感情のパターンをやり過ごす

ネガティブなパターンをやり過ごすかどうかは、あなたの選択にかかっている。思考や感情は、明暗や寒暖をコントロールする家電製品に似ている。今この瞬間から、明と暖を選ぼう、せめて今日だけは……。

僕がネガティブパターンに陥りそうになる時は、心のテープレコーダーをリワインドする様子を想像してみる。すっかり巻き終わったらじっくりとそれを眺め、粉飾なしに受け止めてからこう言うんだ、「今日はだめだよ」と。これを何度も繰り返すうちに、パターンは消えていく。

脳の神経可塑性

思考や感情や意識が体と精神を変えられるのを、現代の科学は事実として認めている。人間の脳は、何を考え感じるかによって変わるというのだ。心と精神のあり方を矯正することにより、脳全体が刺激を受けて変容するこのプロセスは、脳の神経可塑性と呼ばれている。神経の再配列のみならず、神経細胞そのものが生育あるいは再生するのだそうだ。僕は、この理論は脳だけじゃなく体全体に当てはまり、そこに靈氣が大きな役割を果たすことを、ほぼ確信している。

人間の脳と全身の機能は、新しい事象に慣れて適応しようとするサバイバル本能を持っている。その適応と変化を支えるのが靈氣であり、体と心をリストラする結果をもたらす。脳の場合は、既存のシナプスと新しいシナプスの構造を強化し再結合する過程で、リストラが為される。神経細胞はデンドライト（樹状突起）と呼ばれる毛髪状の突起によって結合され、細胞間のコミュニケーションを可能にする。ダメージを受けた神経細胞をつなぐデンドライトは果たして再生するのか、するとしたらどのぐらの数か、それは脳のある部位に対する刺激の如何にかかっているそうだ。さて、頭への靈氣がどれほど大切か、分かっていただけただろうか！

靈氣はエネルギーと光だけにとどまらない。それは愛だ。愛のタッチを受けたなら、ポジティブな体と感情の反応が発動し、脳と全身に変化をもたらす。そして精神と感情のパターンは新たな表現方法を見出して、人生は生きるにふさわしい悦楽に満ち始めるのだ。

靈氣の中核としての病腺

病腺とは、血管とリンパの流れが毒素の蓄積によってブロックされてできるしこり、傷や病んだ部分が発する振動、と言っていいが、そればかりでもない。靈氣が入ってくるのに体が反応しているサイン、つまりヒーリングの過程でもあるんだ！

では、病腺ではない手の感覚について、以下に示そう。

――手を体に当てるとただちに感じられる、手からのエネルギーフロー。

――受け手の脈拍。病腺であるかないかを判断するには、受け手の脈に片手で触れ（手首か頸動脈）、もう片方の手で他の部分に触れて比べてみるとよい。

――エネルギーの強い脈拍。自分のヘソにそっと中指を立てると、速くて微かな振動を感じる。それと同じであれば、病腺ではない。

――臓器の蠕動運動。胃腸に手を当てると、ゴロゴロと動く振動や手に暖かさが感じられる。臓器が動く感触を施術のときに味わってみるといいだろう。

――受け手と自分の体温、受け手の体の質感や密度。

次に、病腺の種類を五段階に分けて説明しよう。

一、温熱

体温より少し温かい温熱を感じるなら、そこにはデトックスすべき毒素が溜まっているサインだ。

二、熱い温熱

汗ばむような熱さ、あるいは手に火がついたようなジリジリする熱さ。手のひらが真っ赤になり、受け手の服に焦げ穴を開けるのではと心配になるかもしれない！しかし、毒素は溜まっているが、ここはまだグリーンゾーンだ。

三、ピリピリ感

しびれが切れたときのビリビリ、または感覚がない状態で、ここが健康と病気を分けるラインになる。ピリピリ感は靈氣を必要としている。

四、響き

ドクドクと脈打つ感じで、強弱や速さはさまざまだ。自分の体でもこれは体験できる。歯が炎症を起こしたとき、爪からばい菌が入ったときなどに、血管の流れが収縮しているのを実感できるだろう。また、手を当てた部分が冷たいと感じたとき、まずは手を温めてから再度当ててみる。それでも冷たさを覚えたら、それはレベル四だと思ってよい。このレベルではっきり病気と決めつけられないが、その可能性もはらんでいる。炎症や極度の疲労によっても、この程度の病腺が出ることがある。

五、痛み

この感覚は手のひらに収まらず、指、指先、手の甲、手首、肘、肩にまで及ぶこともある。痛みを覚えるのは、極めてネガティブ化した部分にポジティブな靈氣が流れているからだと、小山先生は説明する。痛みが軽くなるまで、手を当て続けるしかない。辛いときには、手を替えるといい。いわゆる「悪い気」を受けるという心配はご無用、繰り返すが、靈氣は一方通行なのだ。痛みを感じたからといってパニックを起こさないでほしい。病腺は体が癒えるまでの過程なのだから、反応があるのは良い兆候だ。ただし、まだ医師に診てもらっていない方には、それとなく勧めてあげよう。

以上の区分けはおおざっぱなもので、二と三が混じった感じがするときがあれば、温熱とピリピリをいっぺんに感じることも、あるいはここに書いていない病腺を感じることもある。また病腺は臭覚、聴覚、視覚に訴えてくることがあるので、どんな感覚も無視せずに受け止めてほしい。

小山先生は病腺についてこう言っている。

「病気の診断がついている場合には、そこから手を動かさないように。長い時間当てることで、病は深部から癒されていきます。病腺があるうちは、施術を止めないのが望ましいです」

診断がなく、どこに病腺があるか分からない時は、頭から始めよう。そうして暫くすると、体の病んでいる部分が内部で動き出すので、それを受け手が感じた時点でその場所に手を移すといい。

病腺は、すでに不快感や痛みを覚えている人にだけ出るものではない。症状を覚えない時点でも現れるので、その時はワクチンと考え、予防として施術しておくに越したことはない。

肩に痛みがあると訴えているクライエントの肩に手を当てたが、手が自然に胃の方へ動いてしまった、という体験がある。そんな場合は、胃に原因があるかもしれないので、病腺が消えるまで胃に施術するといいだろう。

病腺の動きが、まるで日本の地下鉄のようにきっかり二分で上下する場合、それは炎症や食中毒のような急性の症状のときのものだ。病腺のピークは、「響き」の中でも相当の痛みとして感じられるはず。けれどご心配なく。急に来たものは急になくなるのが、急性の特徴なのだ。

60分の施術における病腺の移り変わり

①のろのろ病腺。慢性病に典型的な動きで、ピークと谷間が同じ振れ幅で、時間の間隔もほぼ一定。こんな病腺を感じるのなら、回復に時間はかかるが、あまり心配には及ばない症状だといってよいだろう。

②典型的な急性のパターン。急激なピークが一気にやってきてはたちまちに消える。回復には時間がかからない。

③ゆっくりと弧を描くこの病腺を感じたら、何らかの病気の予兆と捉えてよいだろう。この時点でしっかり施術し、予防しておくのが得策だ。

④強度の病腺がなかなか消えないまま続く。この病腺の場合は、かなり重度の病だと考えられる。

⑤まったく消えることなく最高レベルを保つ病腺。末期がんなどに典型的だ。

60分の施術における病腺の移り変わりのタイプ5例

①

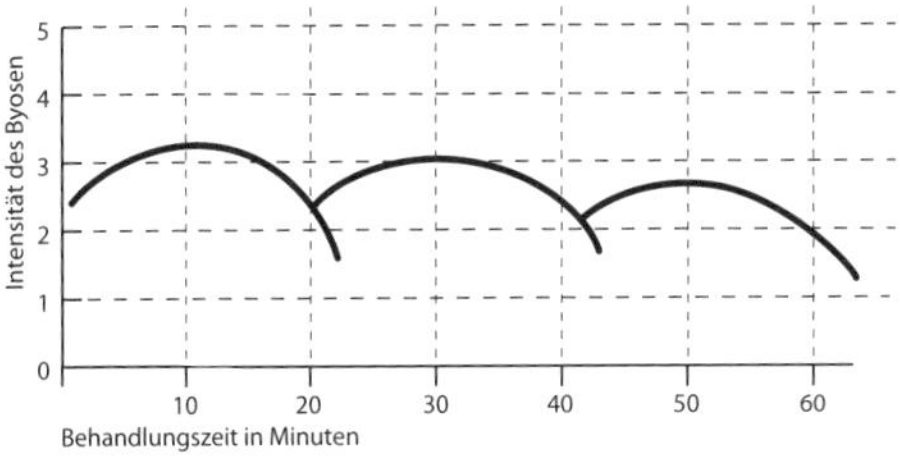

②

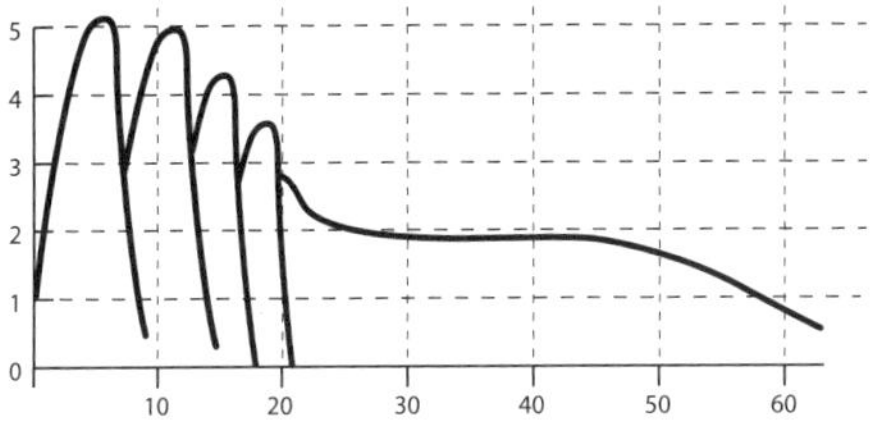

③

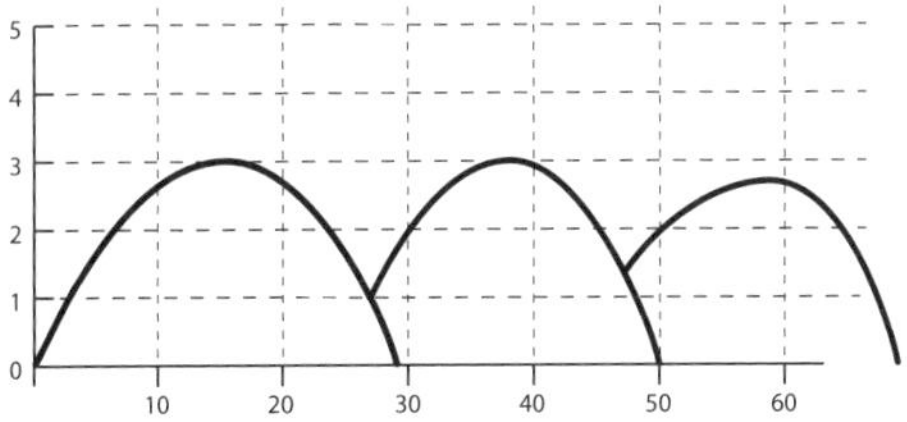

④

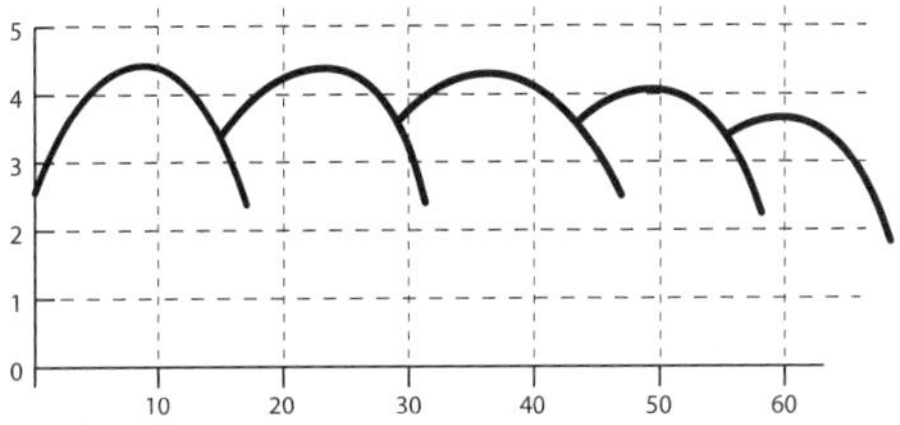

⑤

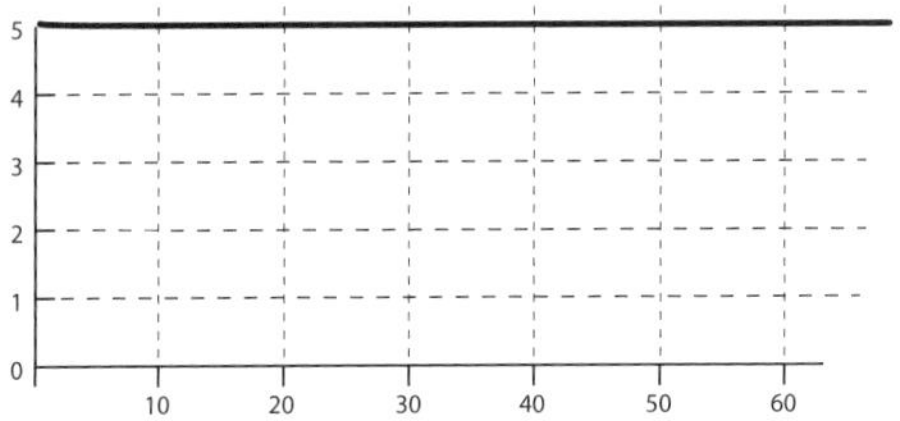

体は全体で機能している

問題の部位を集中的に施術するというのは、胃なら胃、腸なら腸だけに手を当てるという意味ではない。そのことを、手のひらと足の裏に神経性皮膚炎を発症した女性を例にとり、説明しよう。

女性の症状は思春期に始まった慢性のもので、見るからに痛そうだった。僕と僕の生徒さんたちが十五日間に渡り施術した。僕のセミナーでは、問題を抱えた人にお越しいただいて無料で施術し、生徒さんたちに病腺を学んでもらうことにしている。

レイキは効くのか、という彼女の質問に対し、僕は待ってましたとばかりにトリックをしかけた。施術の前後に患部の写真を撮りましょう、と。レイキが癒してくれるよ、と答えても信じてはもらえないので、写真に歴然と結果を見せてもらうことで疑心暗鬼を回避する作戦。いくつかの条件を承諾してもらった。毎日一時間ほどの施術に通ってくること、石けんを使わないこと、手を濡らさないこと、トイレに行くたびに自分の尿で手を洗うこと。彼女は眉をひそめたが、あらゆる古代文明において、皮膚炎の特効薬は尿でした。

さて、施術開始。皮膚を通してデトックスしなければならないということは、すなわち肝臓の働きが弱っていることに他ならない。最初の週は肝臓に三十分から四十五分、頭に十五分から三十分行った。生徒さんたちはそれぞれ、腎臓、両手、両足を担当し、人数が多い日には、胃、腸、肩、心臓、みぞおち、そけい部のリンパ腺を加えた。

数日後、両手にピリピリ感を覚え始めた。彼女は戸惑っていたが僕は微笑んだ。小川の泥をすくう作業に喩えた林先生の言葉のように、それは回復への兆しだった。やがて彼女の手足は真っ赤に変わり、皮膚のひび割れに変化が見られた。レベル五だった肝臓の病腺がレベル三に落ちたので、今度は胃腸に専心した。九日目、予定外の生理の出血があったので、卵巣に時間をかけた。肝臓、腎臓、胃腸、卵巣の病腺がレベル二にまで下がってきた——これで終了。

以来、彼女は皮膚炎とは無縁だそうだ。

エネルギー診断としての病腺

病腺による「診断」とは、どうやらエネルギーの性質によるものだと言ってよさそうだ。医師免許のない僕たちが医学的見地から「診断」することは許されないが、医学で拾えないレベルの病を、僕たちが病腺により「診断」できるというわけだ。例えば、癌の治療を終えて退院した人から強い病腺（レベル四か五）を感じるなら、快気祝いはまだまだ先。病腺がレベル二か一に下がるまで、日々の施術が必要だ。

数週間の施術を受けている人の病腺のレベルが、一気に上がることがある。それを状態が悪化したと受け取ってはいけない。体のエネルギーが不足していた以前には訴えきれなかった病腺が、ようやく自己表現を始めたと捉えるべきだ。

抗癌剤のような強い薬を常用している、またはしていたなら、靈氣に反応すべき免疫力が押さえ込まれているので、病腺は深く潜行して表に出られないでいる。それが、エネルギーを受けて体が目覚めると、免疫力が働き始めるのだ。

同じように、疲労困憊している人からも、病腺は感じにくい。こんな人には、まず頭を最低三十分施術するといいと林先生は教えていた。そうすると、病腺のエンジンが全開になるそうだ！

重度の例

リオデジャネイロでセミナーを開いていた時のこと。糖尿病のためインシュリンを日に五回注射し、心臓のバイパス手術を間近に控えているという男性に出会った。生徒さんたちに病腺を体感してもらうまたとないチャンスと考え、僕はその男性に毎日施術にお越しいただくよう願い出た。

そして、一週間の施術の後、男性は「一晩中トイレに忙しくて寝不足だ」と訴え始めた。腎臓が動き始めたのだ。医者である彼の驚きようといったらなかったよ！　さっそく、彼と彼のワイフが靈授を受けた。そして彼の看護師さんたちが、僕のセミナーを受講してくれた。その後、彼の腎臓の機能は回復し、血統値は五割ほど減少した。

ここで、癌の施術について一言。小山先生式では、周辺の細胞を強化し健康に保っておくために、まず腫瘍の周りから始め、病腺が消えたなら本命の腫瘍に入る。転移を確実に食い止めておけば、腫瘍と付き合いながら健やかに生きることは、十分可能だからだ。

病腺の世界では健康も病気も存在しない。そこにあるのは病腺の程度、つまり溜まった毒素の量の多い少ないであり、病腺が一定の場所に留まっているならそれを喜ぶべきなのだ。愛をもって病に向かい合い、あなたが病の人と共にいられることに感謝しよう。だってそうでしょう、病でいるうちは生きているのだから！　そういう意味で病は悪くないが、あまり高次のレベルの状態でないことはたしかだ。靈氣を流すことで、体を目覚めさせよう！

手の感覚を高めるには

病腺の妙技は、直感力やサイキックパワーと同義ではない。それは誰にでもできることで、特別な技術を必要としない。しかし、より繊細な感覚を磨きたいなら、良い先生のガイダンスのもとで実践するのが近道だろう。経験上、どうやら師の技能や経験を生徒たちは吸収するようだ。ここでもまた、高次のエネルギーが低いエネルギーを変容する、という宇宙の法則が働いている。

感覚を磨くために、ふたつのことに留意しよう。意識を注ぐことと、内面を空っぽにすること。五感をフル回転し、クライエントに関するありったけの情報をかき集める。体つき、姿勢、性格……クライエント自身が何をして欲しいのか分かっていない場合でも、体がそれを訴えているかもしれないからだ。五段階の病腺がまずあなたに話しかけ、あなたの関心を惹いてくる。そこで、あなたの出番。靈氣をかけ、病腺の反応の妙技を楽しもう。

人間の意識界は、思考を止めて頭が空っぽになるときに最も冴えわたる。携帯を耳に当てながら難解な数式を解き、スケートしながらベジタリアンハンバーガーに食らいつく。そんなことをしたら、どれひとつも満足にはできない。靈氣も同じだ。心がここにあればあるほど、靈氣は活発に働く。心がここにあることと集中力とはまた、別のものだが。

靈氣が体中を流れてくれるのに任せ、思考を中断して手そのものになりきろう。そうすると、第一にエネルギーフローがより強くなり、第二にあなたは疲れず、第三に自分本位の考え方にとらわれなくなり、第四に靈氣をかける間が精神修養の場となり、結果として施術することが無を体験する瞑想の時に変わる。

トラブルシューティング

一、病腺を感じない

強い薬などの影響が考えられるが、病腺を感じるまでに長い時間がかかることもあるので、ご心配なく。後で説明する浄心呼吸法は、手の感覚を間違いなく高めてくれるひとつの方法だが、今一度、自分がどの五感に頼りがちかを見直してみよう。感覚？　聴覚？　視覚？　以前、ミュージシャンでレイキ2まで学んだ友人が、病腺を感じられないと言うのを聞いて驚いたことがある。ミュージシャンが何も感じないはずはない。そこで僕は、次回からは受ける人の体に耳をそばだててみたらどうか、とアドバイスした。彼女からの返答はこうだった。病腺が聴こえ、それから手にも感じたと。あなたが聴覚派なら聴き、感覚派なら感じ取り、視覚派なら目を凝らしてみよう（内面、外側、そして漂う気を含めて）。

二、両手の感覚に差がある

感覚が鈍い方の手を鍛えよう。強めの病腺のある部分に繊細な方の手をしばらく置き、病腺がピークに達する少し前に鈍い方の手に替え、ピーク時の病腺を感じさせる。山を下り始めたら繊細な方の手に戻す、これを繰り返す。次第に両手の感覚が同じように繊細になっていく。

三、両手に違うレベルの病腺を感じる

毒素が溜まっている場所は体のあちこちにあるから、両手が異なる感触を拾ったとしても不思議はない。それどころか、それこそが正しい感覚だとも言える。病腺の動き具合もまた異なるし、右手で病腺のピークを、左手で谷間を感じることもある。

四、病腺を自分の体に感じる

心配しないで、というよりは、むしろ有り難がるべき特権だ。施術中に自分の腎臓のどちらかがチクリとしたり、奥歯が急に痛み出したりしたら、見過ごさないで欲しい。自分の体がツールとして使われているので、同じ部位に手を当ててみよう。自分の痛みが消え、手に病腺を感じたら、もうあとは何をすべきか分かるね。

五、病腺を一本の指にだけ、または手の甲に感じる

患部の面積が小さい時に起きうる。例えば一本の虫歯のために頬に手を当てていると、その虫歯の上にある指にだけ病腺を感じるかもしれない。娘の歯の生え変わり時期、彼女はむずがって何度も夜中に目を覚ました。娘を起こしたくなかった僕は、遠隔で彼女の頬に手を当て、どの歯が次に抜けるかを予想したものだった。予想が正しかったことは、いつも翌日に証明された。

六、手以外の場所に病腺を感じる

友人の電気工は、手ではなく足の裏に病腺を感じるという。たび重なる電気ショックのせいで、手の感覚が麻痺しているのだろうか！　しかし、どんな感覚にも慌てることはないし、自らの分別を尊重すべきだ。それでも不安なときは、先生に相談しよう。

病腺の世界には、まだまだ未踏の地が多い。どうか、開拓者精神をもって臨んでいただきたい。守るべきたったひとつのことは、愛に満たされた無為の心になること……あなたが消えるにつれ、靈氣は大きくなる。

日本の伝統的靈氣テクニック

これから紹介するテクニックは今でも「臼井靈氣療法学会」で教授されているもので、僕は「小川先生から習ったアキモトシズコ」に習い、のちに小山先生の指導ハンドブックで内容を確認した。千代子先生もいくつかを取り入れていたが、教えていないものもあった。ここでは、その全てを網羅しよう。

ひとつだけ明確にしておきたいのは、靈氣はテクニックにあらず、エネルギーそのものだということ！　儀式やテクニックというものは、自我による妨げを最小限に留めるお助け役だと思って欲しい。もう一度言おう、あなたが滅すれば、靈氣は増える……。

最高のテクニックとは、もうそれがなくてもいい、というようなもの。つまり、あなたが十分にそれを習得したので、それなしでも目的に到達できるもののことだ。インドの「音楽の達人は愛用の楽器を壊す」という言い習わしと同じだ。そこに至る必要条件は、時間をかけて一意専心に経験を積むこと。

これから説明するテクニックに未知の方は、ぜひ先生の指導を仰いでください。読むだけでは、実践はおぼつかない。靈氣は本来の自分への変容と覚醒をもたらす。あなたの先生が内面でそれを体験している方なら、分かりやすく愛をもって伝えてくれます。

合掌瞑想（最初の発靈法）

準備

知覚を高めるための最初のテクニックは、合掌瞑想。

静かな、できれば暗くした部屋で、軽く目を閉じて座る。舌を上顎に当て鼻から息を吸い込み、口から吐く。舌は吐く時に自然に下がっている。瞼を通して何か美しいものが見えるイメージを抱く。そうすると第三の目に意識が向き、邪念が払われやすい。携帯電話をオフにして、日常から遊離した三十分を演出する。心身ともに静寂を保つのがベストだが、想念がふと湧いてくるのは気にしないこと。

ヘソの周りが圧迫されず、丹田呼吸が難なくできるような服装で臨む。壁やクッションにもたれても構わない。

そして合掌。吐いた息が指先に当たるくらいの位置が望ましい。この瞑想は、エゴのない静寂と安らぎを味わうためのものだから、合掌のポーズや座る姿勢がきついと感じるならば、自分に優しいポジションを探してあげよう、これはお仕置きじゃないのだから。

合掌瞑想の奥義

密教では、左手は月を、右手は太陽を表し、各指が世界を構成する五大元素のひとつを表している。

親指は空
人差し指は風
中指は火
薬指は水
小指は地

また、指先もまた次のことを象徴している。

親指の先は認識
人差し指の先は実行

中指の先は感覚
薬指の先は受容
小指の先は形状

瞑想の科学の観点からいうと、手のひらを合わせる行為により、太陽と月とすべての元素が集合し世界が完成する。中指に意識を集中するなら、瞑想の火の側面、つまり燃えるような無意識の自覚が促される。

指の先は神経の末端か子午線に当たる。中指の先に終点がある子午線は手の覚隠心膜子午線と呼ばれ、胸から腕の中央、手首、手のひらを通って中指の先に達する。合掌に疲れたら手を膝の上で休めてよいが、その時も中指と中指が触れるポイントに意識を向けておこう。

いざ瞑想へ

世界中の瞑想者たちに一致するのは、背骨が骨盤に対して垂直な姿勢のときに、もっとも瞑想に入りやすいという事実だが、だからといって椅子にもたれたり、寝転がって瞑想するなというわけではない。要領さえつかんだら、いつでもどこでも、目をつむろうが開けておこうが、瞑想はできるようになる。そうなればしめたもの、何をしていても瞑想の境地に包まれ、あなたの日々は恩寵と爽快な静けさに満たされるだろう。すべてがそのままで完全であり、何ひとつ変えたり、改善したり、排除する必要がなくなる。

「内面が静かで穏やかですね」とよく人に言われるが、僕にその意識はすでにない。静けさの体験と、静けさを体験している者の間に隔たりはないからだ。

苦痛でなければ目は閉じている方がいい。エネルギーを内部に留め、それを心眼に捉えさせるためだ。目隠しを使うのもひとつの方法だ。

目をつむるともっと雑念が襲ってくる、というタイプの方は、四十五度ほど半開きにし、視線は宙を泳がせ、瞬きをしないで数分間こらえてみよう。涙が出ても続ける。数回の練習で、瞑想中ずっと瞬きをしないでいられるようになる。なぜそんなことをするか、それは、瞬きと雑念は相関関係にあるらしいからだ。Ｎo瞬き、Ｎo雑念！

息は自然に入ってくるのに任せる。ただし、できるだけ深々とお腹に入れること。この練習を繰り返すうちに、後で述べる浄心呼吸法がしやすくなる。

合掌瞑想を行うことでエネルギーレベルが上がり、瞑想空間に入れるようになる。毎日朝か夕方（または両方）に、ひとりかグループで、少なくとも二十分から三十分励行しよう。

瞑想に入ると、なぜだか払っても払っても雑念が湧いてくる。ある友人が、僕の魂の恩師であるＯｓｈｏ（オショウ）に、なぜ瞑想のたびに内面が大騒ぎするのか、と尋ねた。オショウ答えて曰く、それは瞑想によって初めて、自分の心の乱れに気づくからだ、と。

僕たちの「正常な」心の状態とは、実は収集のつかないカオスであり、その狂騒から逃れるには、まず気づくことが肝要だ。次に、狂騒を消す努力をするのではなく、その毒をネクター、つまり生命の酒に変えてしまうことだ。神秘イスラム教の人気者で、常に人間の本質を語って止まないムーラー・ナスラッディンの物語のひとつに、こんなのがある。

〝ムーラーの庭の美しい林檎の木には、見事な林檎がたわわに実っていた。近所で噂のその林檎を狙って、さっそく子どもたちが庭に侵入してきた。ムーラーは子どもたちが林檎を盗むたびに、怒鳴り散らして追い払った。日々繰り返されるその騒ぎを見ていた隣人が、ある日こう言った。

「ムーラー、きみはいつもは穏やかな人物で、林檎は食べきれないほど熟れている、どうしてあの貧しい子らに黙って恵んでやらないんだい？」

ムーラーは答えて言った。

「子どもってものは雑念のようなものさ。追い払えば追い払うほど、また戻ってくるんだ」〟

合掌し、中指と中指が触れるポイントに集中す

フォト86：合掌仏陀

ると、両手のひらと十本の指に何かが起きる。脈打つような感じ、あるいはピリピリ感を覚えたなら、それがまさに靈氣！　そのまま二十分から三十分、靈氣を感じてみよう。小山先生は指の周囲に紫の光線が戯れるのが見えたそうだが、目を閉じていてもそれは可能だ。僕の場合は、濃い紫のエネルギーボールが膨らんだり縮んだりするのが、まるで澄んだ夜空に浮かぶ月のようにはっきりと見える。

時間があれば、合掌の手をほんの少しずつ左右に開いてみよう。両手のひらの間にエネルギーを感じたら、それを圧縮したり、また左右に離したりする。体から両手を離してエネルギーボールを創ってみてもいい。さらに両手を遠ざけながら、間にエネルギーを確認する。もう感じないというポイントでは再び近づけ、そしてまた開いていく。両肩の幅に達するまで、続けてみよう。

浄身呼吸法（二番目の発靈法）

準備は合掌瞑想と同じ。この呼吸法により、意識的に宇宙のエネルギーを丹田に集めることができる。丹田からエネルギーは上昇し、左右の胸を経由して両手に流れ、受け手へと届く。あなたは人格を超越した竹筒あるいは障害物のない靈氣パイプと化す。あたかも自分から発しているかに錯覚していたエネルギーが、この呼吸法を練習することで宇宙からのものだと認識され、宇宙と自分とが一体となり、天と地がひとつになるのを実感できる。

練習その一、体の中心としての丹田を意識する

丹田はヘソから指二、三本下の辺りに在り、生命力の住処とも体の中心ともいわれる。

＊肩幅に両足を開いて立つ
＊骨盤をやや後ろに傾ける
＊二、三度深く呼吸する
＊全身の力を抜き、何か愉快なことを考える
＊口を緩める
＊舌を上あごに置き鼻から息をし、舌が自然に下がるように口から吐く
＊両膝をゆっくりと緩めながら、丹田の位置を意識する。指を当ててもよい
＊丹田に息を吸い込む

僕たちは肺だけで呼吸しているのでも、空気といわれる複数の気体の混合物だけを吸っているのでもない。重度の火傷が命を奪うという一事で分かるように、呼吸は全身の細胞において為され、エネルギー、氣、チ、プラーナと呼ばれるものを取り入れている。

以前に拙著で紹介したことがあるが、昔のイスラム、ヒンズー教の苦行僧や現代のブレザリアンと呼ばれる人たちの中には、食べずに生きることを実践している一派があり、無呼吸で長い間生存できる者さえいる。周知の事実だが、健康に問題がない人なら、デメリットなしに六週間の断食が可能だとされている（どうか我流で試みないように！　スペシャリストの指示に従ってください）。つまり、僕たちは食料以外の微かなエネルギーだけを滋養にして十分生きられるわけで、霊的に成長するにつれ、ますます少ない燃料で冴えた精神と濁りのない心を保つことが可能になる。

それを手助けするのが深い丹田呼吸。エネルギーを意識的に呼吸することで、あなたと受け手の双方が、より高い次元の知覚を会得するだろう。

練習その二、丹田でスウィングする

練習その一の行程に加えて、

＊丹田を意識したら、前後左右に体をスウィングさせる。その際、両腕を伸ばしバランスを取る
＊スウィングしながら丹田に集中すると、体の軸が丹田であることに気づく

練習その三、丹田に豪快に吸い込む

練習その一の行程に加えて、

＊丹田の前で、両親指と中指で下向きの三角形を形作る
＊鼻から吸い込み、丹田から吐き出すイメージを持つ
＊吸い込む時、みぞおちに向かって三角形を引き上げる

＊吐き出す時、三角形を丹田に下ろす

この動作をしながら気勢を発し、空気とエネルギーを直接丹田に送り、それを両足の裏から吐き出すイメージを描いてみる。すると、心に平安が宿る。安定するのは心だけでなく、体もまたしっかりと固定される。数人の男たちが動かそうとしても、小さな女の子すら持ち上げることはできない。

練習その四、丹田から歩く

丹田に意識を集中し、丹田と鼻先が同じ線上になるようやや腹部を突き出して、丹田があなたを歩かせているイメージで歩く。僕は裸足で芝生か石畳を歩くのが好きだ。スローモーションのように、ゆっくりと歩いてみよう。

会陰

性器と肛門の間の会陰（中国語ではHui Yin）と呼ばれる部分は、丹田と並んで大切なエネルギーが出入りする門だ。ここからエネルギーが洩れてしまわないよう、道教やヨガでは伝統的に、呼吸法とともに会陰を引き締める訓練をする。会陰を引き締めながら丹田に正しく息を入れ、数秒間溜めておき、吐く時には会陰を弛緩させる。会陰の筋肉を強化することで前立腺の異常を未然に防ぐことができ、男性のさまざまな問題にも効き目がある。日に三十から四十回の、会陰の引き締めと弛緩を加

えた丹田呼吸をお勧めする。

正しい呼吸法は人生を変えます！

浄心呼吸法のテクニック

この呼吸法は五分以上継続しないこと。ふらつきを感じるようなら、やり過ぎです。
鼻から吸いながら、空気と靈氣を頭頂から吸い込んでいるというイメージを持つ。吸い込んだ空気／靈氣を丹田に落とす。数秒間、息を止める。止めている間、エネルギーを体の隅々に行き渡らせる。ネクターをフローさせるんだ……。そしてゆっくりと、意識しながら、口から息を吐く。どうか無呼吸の世界記録に挑戦しないでくださいね。ほんの数秒でいいです。吐いている間、体にみなぎったエネルギーを、両手、指と指先、両足と足の指から吐き出しているというイメージを持つ。

これをひとりで、あるいは施術中に練習することで、「あなたの」エネルギーを高めることができる。施術中なら、吐き出す部分を両手に集中してみるといい。「ターボ靈氣」効果が期待できます。ただし、妊娠中の女性や高血圧の方は、控えて下さい。

霊示法（三番目の発霊法）

直感に従う力を養うテクニックだ。直感力は努力して育むものではなく、生まれつき備わっている神からの贈り物。あなたがすべきことは、ただその声に耳を傾けること、そして実行すること。最初に湧いてきた直感を無視したために後で後悔したという経験を、誰もがしているだろう。だから、内面の知恵にしっかりと耳を傾けるべきなのだ。自分自身と人生への信頼度が強いほど、あらゆる局面において直感力は研ぎすまされる、少なくとも僕の場合は。

リラックスして立つか座るかし、目を閉じる。

一、合掌しながら、遮られることなく体をフローしてくださいと、靈氣に請う
二、クライエントの癒しと幸福を願う
三、合掌した両手を第三の目の位置まで引き上げ、手が必要な所へ導かれるよう、靈氣に請う

そうして、待つ。あなたが視覚的な方なら心眼に体の部位が見えるかもしれないし、手なら手、膝なら膝が目を惹くかもしれない。聴覚の優れた方なら、腰、背中、と聴こえてくるかもしれない。感覚的ならば、ただ感じるだろう。自らの体に感じる人もいる。

それでもはっきりとしたメッセージを得られない時には、片手あるいは両手をクライエントの頭の上にかざし、その方の周波数に自分を合わせる。そして、体のどこに動きを感じるかに集中するよう、クライエントを促す。その部位が分かったら、手をそこへ当てる。病腺があなたを引き寄せているのだ。長年の修練により、あるいはすでに直感力が鋭い方なら、クライエントの全身を眺めるだけで、どこが悪いか「見る」ことができる。

手が腹部に引き寄せられたとしても、どの臓器かまでは分からない時、小山先生の方法では、自分にひとつひとつ問いながら突き止めていく。胆のうですか、直腸ですか、膵臓ですか……、と。手は質問に応じるが、どう反応するかはまた、人それぞれだ。温かさ、引っ張られる感じ、ただ単純に分かる、などなど。手が問題の臓器の上で止まり、そこから動こうとしないという場合もある。

僕たちは個として世界と分離している、と思っているとしたら、それははなはだしい幻想だ。叡智は無限であり、何人にも当てはまる。僕たちはただ、人類の集合的な知恵に分け入る方法を知るだけでいい。そして、靈示法とは、ひたすらに請うこと……。

靈示法は癒しのみならず、人生のさまざまな局面において活用できる。僕は最初の数冊の本を、このテクニックを使って書き上げた。

失くし物を探すのにも有効だ。

乾浴（四番目のテクニック）

乾浴は、心身を清めるために行う。エネルギーを高め、人間関係や周りの状況、雑念や喜怒哀楽、過去へのこだわりから自分を切り離し、今この瞬間に戻す手助けをしてくれる。いったい一日のうち何度、僕たちは白昼夢の中で自分を見失うことだろう。それは思考とは言いがたい思わず知らずにやってくる雑念であり、枝から枝へと移る猿のように果てしない。貴い今をなんとムダにしていることか！乾浴は、それらの思いを断ち切るのではなく、それらから自分を引き離してくれる。

乾浴のやり方には三通りあり、どれが正しいかという判断はつきにくい。試したうえで、自分に合うものを選んでいただきたい。

一、臼井先生の乾浴法

右手を左の鎖骨の上に置く。その手で右の腰に向かって斜めに体をさすり下ろす。同じ動作を左手で右の鎖骨から左の腰に向かって行う。最初の右手の動きを、もう一度行う。

右手で左の手首から手のひらをなで下し、指先から払う。同じ動作を左の手で右手首から指先に行う。最初の右手の動きを、もう一度行う。

二、**最もよく使われている方法**

右手を左の鎖骨の上に置く。その手で右の腰に向かって斜めに体をさすり下ろす。同じ動作を左手で右の鎖骨から左の腰に向かって行う。最初の右手の動きを、もう一度行う。

右手で左肩から腕の外側をなで下し、指先から払う。同じ動作を左の手で右肩から行う。最初の右手の動作を、もう一度行う。

三、**僕の一番好きなバージョン**

右手を左の鎖骨の上に置く。その手で右の腰に向かって斜めに体をさすり下ろす。同じ動作を左手で右の鎖骨から左の腰に向かって行う。最初の右手の動きを、もう一度行う。

右手で左肩から腕の内側をなで下ろし、手のひらを通って指先から払う。同じ動作を左手で右肩から行う。最初の右手の動作を、もう一度行う。合掌する。

念達法（五番目のテクニック）

二〇〇〇年に千代子先生のセミナーで教わったもの。心身のデトックスを目的とする。

左手を丹田の上に、右手を額に置く。丹田からエネルギーを昇らせ、額に集める。額が靈氣で満たされていく様子を視覚化する。額が靈氣でいっぱいになったら、丹田に落としてやる。両手を丹田の前でチャクラとチャクラを合わせて重ねる。これをできるだけ長く頻繁に行う。

靈氣回し（六番目のテクニック）

円を描いて座り、左手の手のひらは上向き、右手の手のひらは下向きにし、隣どうしと手をつなぐか、数センチ離してかざす。先生の右手からエネルギーフローが始まり、隣の人の左手に伝わる。それが体をめぐって次々にフローする。

靈氣回しは手の感覚を高める他に、十分程度を週に一回行えば、グループ全員の健康維持に役立つ。

集中靈氣（七番目のテクニック）

数人以上でひとりのクライエントに施術すること。最も有効な部位は、頭、足の裏、丹田、心臓、肝臓、腎臓、リンパの集る所など。人数が三人であれば三十分、より多い人数なら十分から十五分でよい。僕は、ひとりを百人で施術した経験が何度かある。何組かのグループに分けて、直接クライエントに手を当てるグループ、彼らの肩に手を当てるグループ、そのグループの肩に手を当てる三番目のグループという形で行う。施術後、クライエントは羽のようにふわりと起き上がった！

遠隔治療（八番目のテクニック）

関東大震災被災者の癒しに腕を振るったこの遠隔治療を、臼井先生はこよなく愛していた。隣の部屋にいる人々に対しても使ったという。奥伝の後期で、これは教授された。写真を使うところから「写真治療」とも呼ばれていた（写真は富裕層の特権だった）。遠隔治療にはいくつかの方法があるが、どれも精神統一を促すのが目的だ。以下に、三つの伝統的なメソードを紹介する。

一、千代子先生

膝から上の太もも部分を使う。呪文の力で受け手のイメージがそこに招かれ、そのイメージが太ももに横たわって施術を受ける。知っている相手ならば想像するだけで事足りるが、見知らぬ人の場合は予備知識が必要になる。名前、生年月日、性別、施術を希望する部位。それらを紙に書いて見えるところに置いておくと、集中力の助けとなる。

太ももを使うことで病腺を感じられるのが、この方法の卓越した点だ。

二、小山先生

クライエントの写真の上に遠隔治療をする。小山先生は、写真でも病腺を感じたという。千代子先生のメソードを試して病腺を実感してから、写真を試す方がいいかもしれない。

三、小川先生

小川先生の談。「受け手の写真がない時には、その人のイメージを自分の指の上や膝の上に描き、それを使う。どの指にするか、どちらの膝にするかは問題ではない」

西洋レイキの先生たちの中には、自分の体を使って遠隔治療をしてはいけない、自分の病気を相手に送る危険性があるからだ、と言う人がいるが、なかなか面白い。いえ、そんなことはけしてないので、ご心配なく。自分の体を使うのは、集中を高めるための手段でもあるのだ。

どのメソードを使おうとも、呪文が受け手をこちらに連れて来ることには変わりがない。靈氣はA地点からB地点に移動するものではないから、受け手の住所を知る必要がないのは当然だ。

僕の提案は、頼まれてもいない人に遠隔をしない方がいいですよ、ということ。靈氣はけして悪さをしないが、プライバシーを尊重すべきです。とはいえ、例外は付き物ですね！

性癖治療（九番目のテクニック）

いわゆる「悪いクセ」を扱う治療。何をもって悪いクセとするかは、受け手が、または自分の時は自分が納得するよう、しっかりと話し合ってください。それを言葉にするときには、簡潔にして要を得、ポジティブで現在形、そして受け手の母国語でなければならない。

僕たちの願望は、よくよく突き詰めると隠れた深い意味を持っているものだ。一億円あればなあ、と思っている人の本心が実はただ愛され優しくされたいだけかもしれないし、悟りを開きたいと思い詰めている人の本音が、現実から逃避したいだけなのかもしれない。時間をかけて、本当に何を治したいかを見極めよう。

方法

利き手ではない方の手をクライエントの額に、利き手を後頭部に当てる。性癖の印を後頭部の上に描く。言霊と直したいと願う言葉を繰り返す間、両手は数分間そのままにしておく。次に利き手ではない手を離し、利き手で後頭部から靈氣をかけ続ける。

凝視法　呼気法（十番目のテクニック）

凝視法

凝視法と呼気法は右手と左手のごとく協力し合い、傷の治療に効果を発揮する。臼井先生は、怪我をした箇所に直ちにこの二つを使うと治りが早く痕が残らない、と生徒たちに指導していた。公開伝授の中の説明によると、まず二～三分凝視し、呼気を吹きかけ、手で撫でる、という順番だ。靈氣は体中から放射しているが、特に眼と口と手から多く発現する、そのことを最大限に利用している。ただし、睨みつけるような視線ではなく、空を見つめるような眼差しで臨もう。

何か物を使って練習してみるのも一考だ。例えば花。眼の高さで数センチ離れた所に置き、眼をリラックスさせて花を透視するか花の後ろを見るつもりで眺めてみる。たちまち、あなたの視野は三六〇度の周辺視野に変わるはずだ。そうすると、実際の呼吸に合わせて眼が微かな呼吸をするのが分かる。毎日これを十分練習するとよい。恋をしている方はラッキー、好きな人の眼を見つめるときに練習できるね！

この凝視法をさらに深めたい方のために、ヒンズー教の瞑想法を紹介しよう。

トラタク瞑想

炎のともったロウソクを一メートルほど前方眼の高さに置く。リラックスした姿勢で坐り、四十五分から六十分の間、炎を見つめる。瞬きをしない。最初は数分後に涙が出てくるが、練習を重ねると続けられる。この瞑想により、あなたの意識はレーザー光線並みにピンポイントで集中できるようになる。

呼気法

小山先生によると、吸い込んだ息が熱いと感じられるときに、より効果を発揮するそうだ。また、小川先生はこう教えてくれた。丹田に息を溜め、二、三秒間息を止める。上あごに舌先で西洋レイキのパワーシンボルを描いてから患部に息を吹きかけ、同時にパワーシンボルをも吹きかける。唇はしっかりとすぼめ、吐く息はできるだけゆっくりと。体内では熱く感じた息が、氷のようにひんやりと患部に触れる。患部まで二十センチぐらいまで近づくと、息の感触が伝わる。

ある時、階段から転げ落ちて角の生えたデビルのような形相の男の子に、この呼気法を三分ほどしてあげた。角は跡形もなく消え、男の子は僕の膝ですやすやと眠り始めた。彼のお母さんの驚きようといったら……。

呼気法は直接体の患部に施すだけではなく、オーラや写真に、また遠隔の一環としても使うことができる。

呼気法は応急処置なので、あまり長い間続けないように。数分以上行うと、疲れてしまう。

凝視法、呼気法、撫手の合わせ技
一、傷口などを二、三分凝視する
二、唇をすぼめて呼気を当てる
三、皮膚が裂傷でなければ、痛みが治まるまで軽く撫でる。これを撫手という。

靈氣運動（十一番目のテクニック）

小山先生が臼井靈氣療法学会に取り入れたもので、野口晴哉が提唱した活元運動を基にしている。中国の Kigong（気功）、インドネシアの Subud（スブド）、インドの Latihan（ラティハン）と呼ばれる運動の一部に類似する。

方法

ごろごろ転がっても物にぶつからないスペースを確保する。合掌しながら「靈氣運動開始」と心の中で言う。深く息を吸い込み、すっかり吐き出す。パートナーと行う時には、相手の両肩に後ろから手を置く。それから深い呼吸を数回繰り返すと、体が動き始める。あくまでも、動きたいように動くのに任せる。うまく動かなくても、辛抱強く自然の発露を待ち、わざと動いたりしないように。毎日行い、最低三ヶ月続ける。
子どものような動きを自分に許すのは、最初は難しいかもしれないが、大人の自分に休暇を与え、解き放たれたでたらめな動きに身を投じてみよう。雑念や感情が湧いてきたら、抑えずに味わう。あくびやゲップやおならや涙は、出たい放題。どうですか、楽しそうでしょう！何ものも抑えずにいると、体が勝手に浄化を始める。体は何をどうすべきかちゃんと心得ているのに、せっかくの自己治癒力を制限するという悪い習慣が僕たちにはあるんだ。この時ばかりは、悪い習慣にご遠慮願おう。
セミナーでは、これをグループ全体で車座に座って行う。ある参加者は靈氣運動の体験を、一九六九年のウッドストック・ロックフェスティバルに似た体験だと語ってくれた！

活元運動

野口整体という団体が始めた療術で、自律神経を、あたかもポンプに呼び水を差すかのように始動してくれる素晴らしいツールだ。

方法

中指を内に入れて手を軽く握る。ここで力を入れないように。体の前で両腕を真っすぐに伸ばす。鼻から深く息を吸い込む。きっちり口から息を吐き出しながら、伸びていた両腕を体に引き寄せ、同時に体中の筋肉をありったけの力をこめてぎゅっと締める。肺が空っぽになり拳が両肩に触れたら、いっきに虚脱する。両腕をだらりと下し、肺に空気が満ちるのに任せる。

これを三回から五回繰り返し、靈氣運動に入る。これであなたの自立神経ポンプは、充分な呼び水を差されました！

臍治療（十二番目のテクニック）

個人的に、僕はこれがとても気に入っている。なにしろ効果が絶大だからだ。癌、カンジダなどの菌による感染症、ビールス性の感染症、熱などの治療に用いる。熱に対してはほんの三分か四分で結果が出る。熱は体のデトックスだが、高過ぎる時は臍治療で急速に下げることができる。また上がったら、また臍治療。

方法

どちらのかの中指を臍に立て、頬に小さなエクボが作れるぐらいの力で軽く押すと、指先に微かな鼓動が伝わってくる。最初は感じにくいかもしれないが、数分間待ってみよう。鼓動が分かったなら、中指から靈氣が体内に注ぎ込み、鼓動とエネルギーが調和するのを感じ取る。高熱の時は、下がるまでこれを続ける。臍治療は、遠隔でも素晴らしい効果を発揮する。臍はデリケートな部位なので、くれぐれも押しつけすぎないように。直接肌に触れても、衣服の上からでもいい。

邪気切り浄化法（十三番目のテクニック）

物についているネガティブなエネルギーを変容するテクニック。いや、ネガティブなエネルギーなどというものは、少なくとも僕の世界ではありえない。エネルギーとは単純にエネルギーであり、秘密は卑金属的エネルギーを金のエネルギーに変える錬金術なのだ。

ネガティブだと思われているものの正体は、じつは「あなた」のエネルギーフィールドとの不調和なのかもしれない。例えば、あなたが前の伴侶と別れて、新生活を送っているとする。ところが、使っている家具は前の結婚生活のもので、どうもしっくりなじまない。こういう場合、その物のエネルギーを自分の現在の状況に合わせるために、このテクニックが使えるというわけだ。

ただし、このテクニックは生命体に対して使わないように！　使えるのは、物に限定される。生命体のエネルギーフィールドを変容したいなら、浄化のテクニックである乾浴、浄心呼吸法、半身交血法、血液交換法、などを使ってください。

物の中でも、水晶、宝石、金属は特にエネルギーを吸い込みやすい。アンティークショップで買ったものや親族から形見分けされた物に、ぞっとするような気持ち悪さを覚えた経験はないだろうか。

その不快感は恐らく、それらを使っていた人たちのエネルギーに関係がある。聖人の持ち物だったり、聖なる場所で使われていた物なら、逆に崇める対象にもなり得る。

友人のひとりは、このテクニックを靈氣のマッサージテーブルに、施術のたびに行っている。ホテルのベッドにやってみてもいいかもしれない。

方法

利き手ではない方の手に対象物を載せて、利き手で対象物から十センチほど上の辺りで、水平に空を切る動作を三度行う。三度切ったら、ぱたりと動作を終える。空を切っている間は、丹田に息を溜めて呼吸を止めておく。それから数分間、息をしながら靈氣を与える。

手に載らない大きさの物は、自分の正面の床に置いていい。家のように巨大な物の場合は、遠隔、あるいは写真を用いた遠隔で同じように行う。

解熱法（十四番目のテクニック）

文字通り熱を下げるテクニック。額、こめかみ、後頭部、首、喉、頭のてっぺん、胃、腸、この順番で靈氣をかけていく。これは臼井先生が頭の症状を改善するために考案したものでスタンダードな方法で、病の根源に周波数を合わせ、癒したり熱を下げるたりしてくれる。僕は胃腸には十分か十五分を費やし、病腺が次にどこへ移動すべきか指示してくれるのを待つのが普通だ。余裕があれば、さらに十五分間腎臓ににをかけ、余分な熱を体から放出しておくといい。

病原治療（十五番目のテクニック）

臼井先生によるこの治療の説明は、解熱法と頭の治療に似ている。頭に集中的に靈氣を送ることで、体全体と精神の状態を浮かび上がらせるのが目的だ。頭痛を引き起こしている源が、実は水分不足による首や背骨の問題だった、などのように、症状が出る部位が必ずしも病原だとは限らない。靈示法により病原を突き止めるのも一考、その時は受け手の訴えより、自らの直感を信じよう！

半身治療（十六番目のテクニック）

背骨の両サイドをお尻から延髄まで上に向かって優しくさする方法。リラックス効果が抜群で、自分にやってあげられたらいいのにな、と僕はいつも思う。臼井先生の療法指針には、この治療法が神経障害や免疫不全、血行不良などに有効だと書かれている。

半身交血法（十七番目のテクニック）

これをしてあげたら、誰もがひとまず落ち着く。精神的にまいっている人にも有効だ。腰痛持ちの方たちからは、この方法の後に痛みが消えたという嬉しい感想をいただいている。

方法

受け手に、やや膝をかがめ背を向けて立ってもらう。利き手ではない方の手を肩に置いて支えにする。背骨の上を十回から十五回、利き手で掃き清めるようにさっとさする。首の第七頸椎（C7）から右の腰にかけて同様に十回から十五回、（C7）から左の腰に向かって同じ動作をする。人差し指を背骨の左側、中指を背骨の右側に当て、お尻に向かって真っすぐにさすり下し、仙骨で手を止めて両方の指で軽く押し、一秒か二秒止めておく。背中の上半身を五等分に分け、まず背骨から両サイドに両肩に向かってなでる。二等分目は、心臓の裏側辺りを両サイドに向かってなでる。次はみぞおちの裏側を同様に。四等分目は背中の下の辺りを同様に。最後にお尻に近い辺りを、両サイドにむかってなでる。これを二、三回繰り返す。

丹田治療（十八番目のテクニック）

方法

片方の手を自分または受け手の丹田に、もう一方の手を背中の丹田の裏側に当てる。自然に手が離れたがるまで、そのままにしておく。

小山先生は、丹田治療の効果的な場所を五つにまとめている。（左右は自分に対しては逆になる）

一、大腸小腸の問題には、丹田の左側のそけい部の隣
二、尿道や膀胱の治療には、丹田のやや右上
三、汗腺に問題には、丹田の上か下の右の辺り
四、感染症には、丹田のずばり右側
五、発疹には、丹田の右のそけい部の隣

解毒法（十九番目のテクニック）

これは、強い薬を常用している人、薬物中毒の人、抗ガン治療を受けている人などに、驚くほどの効果を発揮する。もっと軽い胃腸炎、便秘、下痢、食中毒などだと、完璧に近い結果をもたらす。僕自身も、食あたりの時にこれを使ったが、信じて欲しい、本当に奇蹟としかいいようがないんだ！

方法

一方の手を丹田にもう一方の手を背中の腰に近い辺りに三十分当てる。当てている間、体中の毒素が出て行くイメージを持つのが秘訣。受け手に同じイメージを持ってもらう必要はなし。僕は普段、毒素が受け手の消化器官、血管、リンパ、汗腺から出て行く様子をイメージする。

血液交換法（二十番目のテクニック）

名称が長いため、短縮して「血交」とも呼ばれる。千代子先生は一度の施術ごとにクライエントをうつ伏せにし、林先生から直々に習ったというこのテクニックを実行していた。施術により粉砕され溶解したしこりや毒素は、このテクニックの助けで、よりさっぱりと取り除かれる。好転反応をなくしたり、軽くする効果も望める。わずか四、五分の血交の気持ちよさは至福に値するものだ。施術にかける時間がない時、卒中にかかった人、代謝に問題のある人、低血圧で朝起きを辛がるお子さんにも、できれば二度続けてしてあげよう。

方法

一、首のC2（第二頸椎）に利き手の親指と人差し指を軽く置き、病腺の印を描く（パワーシンボルでもいい）
二、背骨の位置を二本の指で確認する
三、人差し指と中指で背骨の両側を、第一胸椎から腰椎まで二、三度ていねいにさすり下ろす
四、背骨の位置に慣れたら、今度は強くしっかり二十回さすり下ろす
五、仙骨に利き手の親指と人差し指を置き、病腺の印を描く（パワーシンボルでもいい）
六、背中の上半身を五等分に分け、まず、背骨から両サイドに肩に向かってなで下ろす
七、二等分目は、心臓の裏側を両サイドになで下ろす
八、三等分目は、みぞおちの裏側を両サイドになで下ろす
九、四等分目は、背中の下の辺りを両サイドになで下ろす
十、五等分目は、お尻の上を両サイドになで下ろす
十一、これを三回から五回繰り返す
十二、背中とお尻の間のへこみを、利き手の手のひらで横切るようになでて十往復する
十三、手のひらで右足の外側を腰からくるぶしまで三回から五回払うようにさする
十四、左足の外側に同じ動作をする

十五、右足の裏側と左足の裏側に同じ動作をする
十六、右足の内側と左足の内側に同じ動作をする
十七、右足の太ももの付け根を左手で手刀を切って押し、右手をくるぶしにかけて伸ばす
十九、左足に同じ動作をする
二十、両手をコップを持つ手の形で、背中全体を肩から肩へと横切りながら、お尻の位置までパタパタと軽打していく　それを三回から五回繰り返す
二十一、右足の外側　左足の外側
二十三、右足の裏側　左足の裏側
二十四、右足の内側　左足の内側
二十五、おしまい！　現実に復帰していただこう

考える糧を少々

もう一度言おう、最高のテクニックとは、もうそれがなくてもいい、というようなもの。テクニックは使われるためのツールに過ぎないから、実体と混同されてはならない。そしてその実体とはYOU、あなた自身！　お月さまはあなた自身であり、月を指差している指ではない。

雑念や感情、そして体と魂を離れて飛翔しよう。善悪の観念、健康と病、常識観、夢や願望、それらを俯瞰する高みに昇るのだ。主体はあなた！　常にこう自問して欲しい、この全てを体験し生きているのは誰なのかって。そうして、日の終わりに残るのはただこの疑問だけ。

「ではその自分とは誰なのか？」

その疑問に答えが返ってくる頃、再び眠りに落ちている自分に気づくだろう。

さあ、起きなさい！

This is REIKI

特別収録

小山先生の指導ハンドブックより

僕は一九九七年に小川二三男先生から指導ハンドブックのコピーをいただいた。このハンドブックは小山先生が一九七二年に臼井靈氣療法学会の五十周年記念に出版し、学会の会員だけに配られたものだ。第四章で紹介した「日本の靈氣テクニック」はすべて、このハンドブックに書かれてあったものだ。

臼井靈氣療法の五つの指針

一、体――健

体は神さまの寺院です。それを知っている私たちは、体の中に住まう神さまをよくお世話し、仕えなければなりません。悟りや覚醒は、壮健なる体においてのみ可能なのです。体を丈夫にするために必要なのは、靈氣、瞑想、正しい食生活……そして笑いです。

二、縁――美

美と縁は寄り添って歩みます。命あるものにもないものにも、すべての中に美を認めるなら、あなたはきっと穏やかで満足のいく人生を送れるでしょう。

三、心——真

心は、あなたが真の自分を生きることにより得られるのです。

四、才——力

才能と力は互いを必要とします。あなたが自分の才能に応じて生きるなら、当然の結果として力が生まれます。才能をためらう必要はありません。

五、務——道

自分を生かす努力をするのが、あなたの務めです。何をするにしても、全力を尽くしましょう。人にも自分自身にも、してあげられることを惜しんではいけません。

五戒は臼井先生がくださった靈氣療法の基本です。ぜひ、ご自分の人生に当てはめてください。五戒には人生への指針と健全な生活を送るための知恵がこめられています。靈氣を行うことで五戒の教えを生き、五戒を実践することで靈氣を生きるのです。私の長い靈氣の経験から、そのことを深く実感しています。

一、**怒るな**

これは怒りを抑えなさいという意味ではありません。冷静を保ち、自分の考えていること、感じていることを過不足なく伝えなさい、と言っているのです。

二、**心配すな**

靈氣があなたの人生に入ると、それだけで自動的に心配の量が半減します。

三、**感謝して**

心に感謝を持って生きることは、とても大切です。

四、**業を励め**

がむしゃらに頑張れと言っているのではありません。要は、あなたの才能を靈氣の助けを借りて開花させればよいのです。

五、**人に親切に**

あなたが恵まれた才能を十分に発揮しているなら、人さまに親切にするのは難しくありません。

靈授会

東京の臼井靈氣療法学会の本部では、月に四回、靈授会と呼ばれる会が催され、会員への靈授と施術などが行われていた。以下がそのカリキュラムだ。

一、明治天皇の御製の奉唱
二、乾浴法の実践
三、浄心呼吸法の実践
四、合掌瞑想の実践
五、師範と師範格による靈授
六、靈示法の実践
七、病腺の説明と施術による体験
八、参加者からの質問に答える
九、五戒を唱える
十、靈氣まわしの実践

私の健康法と靈氣療法『苫米地義三回顧録』より

ここで苫米地義三氏の『回顧録』からの抜粋を紹介しよう。

政治家としての苫米地氏を知る人に、臼井式靈氣療法の大師範としての苫米地氏を語ったならば、恐らく百人が百人とも「えっ！」と言っておどろくであろう。又、化成肥料発明者としての氏を知る人ならば、「そんな非科学的なことを先生がやる筈はない」と一笑に附すかもしれない。

然し学生時代血を吐いて倒れた氏は、薬を求めたくも金がなく、悶々の末「病院公有論」まで書いたほどで、それだけに健康ということについては、人一倍関心を持っていた。腹式呼吸法とか食療法とか凡そそれを行うために費用を要しない健康法と聞けば手当たり次第研究をしたのであった。殊に愛児を二人も失ってからは、人生問題、宗教問題にも増々研究するようになり同時に健康について研究を積んでいった。（中略）

それはともかく、臼井式靈氣療法を研究し始めた頃、氏の会社の天海という会計係の細君が、一年位腰が立たぬということを聞き氏は、臼井氏に同道を願って治療に行った。臼井氏は病人の腰を二、三十分あまり治療した後、

「起きてみなさい」

と、言った。寝返りも出来ず一年も臥せていた病人にこういうことを無茶だと思ったが、命ぜられた本人は「はい」と答えると同時にシャンと立ち上がった。立つと共に自ら驚きの声を挙げた。それを見て臼井氏は、

「歩いてみなさい」

と、命じた。部屋は八畳であったが、病人は夫の肩に手をもたせかけながら歩き出した。

奇蹟ということが世にあるとすれば、これこそは正しく奇蹟だ。臼井氏はこれを見てただ笑っていたが、病人やその夫は勿論、苫米地氏もしばし呆然として声も出なかった。この玄妙不可思議の霊法を目のあたりに見た氏は、爾後この道の研究に精進し、ついに大師範の免許を師からうけたのである。かくて世の人助けにもならばと折もよく大日本造肥料の関西部長として赴任そうそうで、家族もまだ呼びよせなかった宿屋住居であったので、治療所を儲け、弟子も二三人おいて、無料治療を施したのであった。（中略）

大正十二年の関東大震災後、遇々臼井靈氣療法の創始者臼井先生に師事して同療法を実地研究してみました所、心身の改善治療には非常に有効な事が分かり、且つ熱心に習得しまして遂には斬法の師範たる免許さえ得、爾来求められる場合には、他人にも施し自らも心身の改善努力致したのです。かかる機縁を限界としまして、私の健康は見違える程よくなり、体重も十貫以上に達しました。学生以来かつて覚えぬ程の強健さを自覚しうるに至ったのです。（中略）

靈氣療法の要点

靈氣療法の具体的方法はここに記載する事が困難ですが要するに、病気は外来の病菌その他の侵犯によって健康な組織体が平衡を失い、漸次その勢を増して範囲を拡大し進昂する状態を言うので、之に抵抗を続ける健康の組織体が頑張り通せば病魔を駆逐し得られるのです。その抵抗戦の間は発熱とか苦痛が表現されるのです。そこで健康な部分の組織活動又は健康な他人から靈氣即ち健康活力（又は健康律動）を協力する事によって、病患の組織部分に有効な健康活力を増加して、漸次に侵犯された部分の組織活力（又は律動）を恢復し病力を駆逐しうるのです。

かかる場合に於いても、心は平静に保ち少なくとも中立を守る必要があります。心が健康活力を応授する事は素より望ましいが、少なくとも病魔に加担する如き心情は慎むべきです。

靈氣療法の靈意とは格別不思議な存在ではないと思います。何人でも各自の肉体組織に活躍して居る活力（細胞律動）の事です。すべての肉体は活動細胞の集団にすぎない。健康には健康の活動様式があり整然たる規律と秩序があります。この秩序的律動に異変を生じた場合が病気現象ですから只此の健康律動を恢復すればよい。それには疾患部分に協力な健康律動を付与して既に犯されて弱化している細胞の活動律を強化恢復すればよい、簡単にいへばこれ丈だと思います。

誰でも人は天与の靈氣即ち活力を十分に具備して居ります。只之を自覚し之を活用化し得ぬのみでありります。しかし又病気になって之のみで癒すという事は極端でありまして、やはり医薬によるのを本体とすべきです。

とかく人は片よりすぎる弊害があって、ある療法が良いといへばそれにのみ頼って医療も疎んずる様でありますが、靈氣療法も家庭的療法である以上どこまでも補助療法として考えるべきです。ただ繰り返して申しますが、吾々は癒し得べき肉体的活力とこれに加うるにその活力を有効かしうべき精神力とを併有しているのです。他力を頼むと共に自力を十分に発揮せねばならぬのです。

心の平静を起こせ

病気に直接関係のない事ですが、この心と平素の行があれば心が平静で不安が少ない、従って病気に対しても焦燥の気分が少なくなる。治療上の間接効果となるので、誰しも実行困難でありますが敢えて付言する次第であります。

なお普通の事でありますが、私のお勧めしたい健康法の要項数項を挙げますと、

一、日夕五戒を念じこれが実行に心掛けること
二、思慮、行為、すべて平静に無理せぬこと
三、肩を軟く保ち、呼吸は腹部より静かに行うこと
四、姿勢を正しく落ち着くこと

五、睡眠を十分採ること
六、胃腸を害せぬよう注意すること
もし出来れば日々適宜の時間に正座をして、両掌を腹部に当て静かに軽く左右を摩擦する等々であります。

七十一歳の今日なお、頑健で国事に奮闘している苫米地氏の健康法は以上の如きものであるが、人間は進歩性と緊張味を失わない限り絶対に老けるものではない、と言っている。

小川二三男先生へのインタビュー

小川二三男先生へのインタビューは、一九九七年の五月十七日から二十一日の間に、静岡市で実現した。アキモトシズコにあらかじめＦＡＸで質問の内容を送り、それらに対する小川先生の答えをシズコに送り返してもらったものだ。

小川先生は実用を重んじる方で、靈氣の実践と効果に関心が深かった。『誰でもできる靈氣』とご自身が題した小冊子に、靈氣に関する回想をまとめておられた。その中には、小川先生の生徒さんが蚕に靈氣をかけていた話や、浄水工場で靈氣が大きな効果を生んだという話などが記されていた。僕は小川先生にその著書を出版するよう勧めてみた。が、先生にその意図はなく、出会った人々に読んでもらうだけで満足なのだとおっしゃった。ここで留意していただきたいのは、このインタビューが為された当時、以下の内容は日本の外では誰も知らなかったという点だ。

では、小川先生の言葉をお聞きください。

Q　どこで、なぜ、いつ、あなたは靈氣を習いましたか？

A　父の小川コウゾウから、戦時中の一九四二年の九月から四十三年の十一月にかけて習いました。

Q　お父さんの先生は誰でしたか？

A　臼井先生です。

Q　子弟関係を遡って教えてください

A　臼井ー小川（コウゾウ）ー小川（二三男）

Q　日本には多くのレイキの流派が存在しているようですが、あなたの習ったものが「オリジナル」

であるとお考えですか？　また、他の流派との交流はありますか？　流派間にライバル意識はありますか？

A　臼井靈氣療法学会は臼井先生ご自身によって創設され、現在にいたるまで途切れることなく活動してきました。ですから、これがオリジナルの流派であるのは間違いありません。海外で外国人からレイキを学んだ数名の日本人の方たちと交流しています。（アジャバのコメント：レイキラディアンスシステムの三井三重子さん、ヴォルテックスレイキヒーリングシステムの望月俊孝さん、そして小川先生にインタビューしているアキモトシズコのことを指している）

Q　**お父さんは臼井式療法に属していましたか？　もしそうなら、組織におけるお父さんの位置づけを教えていただけますか。**

A　父は臼井靈氣療法学会の師範でした。私もまた師範です。その、「臼井式療法」という言い方を、私は聞いたことがありません。

臼井先生に関する質問

Q　**臼井先生はあなたの流派のお一人ですか？**

A　それは言うまでもありません。靈氣は彼とともに始まったのです。

Q　彼をどのように捉えていらっしゃいますか？　偶像ですか、先生ですか、それとも魂の師ですか？

A　臼井先生は靈氣が人に為せることを実践した例の最高峰だと思っています。

Q　何か臼井先生について知っていますか、彼の人生や家族について？

A　（アジャバのコメント：これについては本書をご覧下さい）

Q　臼井先生はどこで靈氣を学ばれたのですか？

A　靈氣療法必携の中で述べているように、臼井先生ご自身が宇宙から与えられた靈秘であり、他の誰かから教わったものではありません。（アジャバのコメント：後に小川先生は療法必携のコピーを僕にくださった）

Q　靈氣はどこからやってきたのですか？　気功と関係ありますか？　中国やインド、チベットでも伝わっていましたか？

A　（アジャバのコメント：答えはすでに明らかだ）

Q **臼井先生は新宗教を興したかった、あるいは、ある種の運動家になりたかったと思いますか？**

A いいえ、思いません。もしそのお気持ちがあったなら、実行に移していたはずです。

Q **では小川先生のお考えでは、臼井先生は何を目指していたのでしょうか？**

A 臼井先生の公開伝授におけるインタビュー（われわれ学会の会員に渡されるものですが）で、こうおっしゃっています。靈氣療法は病気を癒すのみではなく、心の患いを矯正することができる。そして神や仏のような心になって後人を治療することを主眼として、自他ともに幸福に充ちることができる、と。

Q **臼井先生はクリスチャンでしたか？　信心深い方でしたか？**

A 先生の碑文には、世界中の宗教に通じていたと書かれています。先生は仏教徒でした。

Q **世間はどのように臼井先生を遇していましたか？　先生の名は世間に知られていましたか？　同胞や敵対者たちは多数いましたか？**

A 一九二三年の関東大震災の後に、たちまち人々の知るところとなりました。先生の人道的な協力を讃えるべく、のちに天皇から勲章が贈られたほどです。（アジャバのコメント：宮内庁にこの件を確かめたところ、その勲章を授与された人たちは数千人に昇り、名前が記録されているのはほんの一

部の特例だけだった）

Q　**臼井先生は靈氣を広めることで裕福になりましたか？　彼は金銭や名声や権力にこだわりましたか？　靈氣の講習料はいくらでしたか？**

A　奥伝まで習得するのに約五十円かかりました。（アジャバのコメント：これは現在の米＄にして四千ドルに相当する。ところで、小川先生は〝金銭、名声〟に関する質問に答えていない。僕はあらかじめ失礼な質問があるかもしれないが、それはただ物事を明白にするためであり、気になさらないようにとお願いしておいた。金銭、名声、権力は僕たちの文化では当然取り上げられる話題だからだ。日本において靈氣は、変容へいたる道を意味していた）

Q　**臼井先生は何年ぐらい靈氣を教えていましたか？**

A　一九二二年の四月から一九二六年三月九日に亡くなる日までです。

Q　**教えていたのは靈氣のみですか？**

A　色々な職歴がおありでしたが、晩年の四年間にされていたのは、靈氣を教えることだけでした。

Q　**外国へ渡ったことはありますか？　あるとしたら、どの国にいつ、どのぐらいの期間行かれたで**

しょうか？

A　後藤新平とともに政治の使節団として海外を旅しました。靈氣の活動とはまったく関係ありません。

Q　**臼井先生が書いた記録は何か残っていますか？　写真はどうでしょう？**

A　臼井先生が弟子たちに渡していたハンドブックがあります。この伝統は今でもわれわれが踏襲しています。それは、靈氣必携のしおり、と呼ばれています。大石さんが臼井先生の素晴らしい写真をお持ちです（フォト32）。臼井靈氣療法学会は、戦時中に平和運動に関与していたと当局に嫌疑をかけられていたため、公には活動できませんでした。本部の場所を転々としましたが、それらは空襲にやられました。その時まで保存されていたものがあったとしても、永久に失われてしまいました。（アジャバのコメント：僕が知る限りでは、靈氣に関する資料や宝ものは、山口家がもっとも多くお持ちになっている）

Q　**先生の親戚は存命ですか？　何か知っていらっしゃいますか？**

A　いいえ。

Q　**親類の方たちは靈氣に携わっていますか？**

A 私の知る範囲では、親類は靈氣と無縁です。

林先生に関する質問

Q 僕が習ったレイキでは、林先生が臼井先生の後継者だとおそわりました。何か林先生についてご存知ですか?

A 林というのはよくある名前ですが、学会の師範のなかに林という名前を聞いた覚えはありません。臼井先生の後継者は牛田先生（二代目会長）です。（アジャバのコメント：林先生は小川先生が会員になるずっと以前に独立して自分の道場を開いているので、小川先生が林先生を知らないのは当然だ。このあと小川先生は記録を調べ直し、臼井先生から師範の資格を与えられた二十人のひとりに林先生の名前を見つけた）

Q 林先生はあなたと子弟関係にありますか?　何か個人的なこと、たとえば彼の生涯や学会での地位などについてご存知ですか?　林先生はどこにお住まいで、何で生計を立てていたのですか?　臼井先生から直接指導を受けた方ですか?　臼井先生や後継者と何か行き違いがあったのでしょうか?

A （アジャバのコメント：答えは後に小山先生、千代子先生、そして忠夫先生からいただいた）

Q レイキマスター、レイキグランドマスターという称号はありましたか？

A 先生たちは師範と呼ばれています。学会のトップは会長と呼ばれ、現在の会長は小山先生です。

高田先生に関する質問

Q 高田先生について何かお聞きになっていますか？ あなたとは子弟関係にありますか？

A いいえ、まったく聞いたことがありません。（アジャバのコメント：後に、高田先生が林靈氣研究会を通して林先生と師弟関係にあることが判明した。高田先生は、臼井靈氣療法学会からではなく、林先生から師範を靈授された）

Q 高田先生は、戦後に存在する靈氣ティーチャーは自分だけだと言っていたらしいですが、そのことをご存知でしたか？

A 十年以上前に三井先生からそのことを伺いましたが、理解しがたい話です。（アジャバのコメント：このお答えは、高田先生をまったく知らないという前の答えと矛盾している）

実践に関する質問

Q　学会のシステムではいくつかの段階に分かれていますか？

A　初伝、奥伝、神秘伝に分かれています。

Q　それぞれの段階で何を習いますか？

A　初伝では、施術の仕方と自己靈氣、病腺について、奥伝では性癖と遠隔を習います。神秘伝では靈授の仕方と、靈氣の教え方を習います。

Q　その三つの段階は、誰でも学ぶことができますか？

A　理屈としてはそうです。初伝の学びをしっかり深め、病腺を感じて理解できたなら、奥伝に進むにふさわしいと見なされます。神秘伝は誰もが極められるものではありません。現在のところ、学会の五百人の会員のうち、師範はわずか六名です。

Q　師範を認定するのは誰ですか？

A　あらゆることにおける決定権は、会長のみが有しています。

Q　次の段階へ進むまでの期間は定められていますか？　神秘伝まで行き着くのに、どのぐらいかかりますか？　年齢、学歴、収入、宗教などを問われますか？

A　それはひとえに、実践的にどのぐらい極めていくかに寄ります。

Q　受講料はいくらですか？　靈氣の世界に金銭は絡んでいますか？　靈氣とお金との関係を、小川先生はどうお考えですか？　西洋ではレイキがとても儲かるビジネスであることをご存知ですか？　ティーチャーの教授料は米$で一万ドル、つまり百万円もします。

A　学会の会費は一月に一万円で、それを払うと靈授会に参加する資格が与えられます。

Q　イニシエーションについてですが、だれもが受けさせてもらえますか？　その場合、誰から受け、どの程度の頻度で受けられますか？　もしイニシエーションを受けられない場合、その生徒はどのように学ぶのですか？

A　靈氣を習いにくる方は、例外なく靈授を受けられます。靈氣を伝授する唯一の方法が、靈授なのです。われわれは臼井先生の方法を踏襲しています。臼井先生は、見込みのある生徒たちに座って合掌させ、ひとりひとりの合掌の手を触って歩き、エネルギーの大小を測りました。大きなエネルギーを発している者は、即座に靈授を許されました。そうでもない者たちは、さらなる練習を指示されたそうです（発靈法）。

Q 西洋レイキで用いられている、チャクラ、あるいは内分泌腺に即した十二または十五のハンドポジションを、学会では使いますか？　一箇所に手を当てている時間はどのぐらいですか？　両手を使いますか？

A われわれは病腺に導かれて施術をしますので、これといったお決まりの方法はありません。いったん病腺を理解したなら、システムを作る必要などなくなります。最も大切なのは、頭を施術することです。時には一箇所に一時間ほど手を置いておくのが望ましいです、例えば丹田の治療の時など。

Q 複数の手を同時に置くことをしますか？

A はい、集中靈氣と呼ばれている方法です。

Q 一回の施術にどのぐらいの時間をかけますか？　ひとりのクライエントに続けて何日ぐらい施術しますか？　痛みのある箇所には、直接手を当てて痛みを癒しますか？　実際に体に手を触れますか、それともオーラで施術しますか？

A クライエントの体の状態によって、施術の時間や頻度が決まります。病腺がなくなったときが、治癒したときなのです。痛みに関しては、痛みが癒えるまでその箇所に施術します。触れると痛いときには、手をかざします。

Q　印はいくつ使いますか？　どんな形で、何を元にしていますか？

A　最初の印は神道に由来しています。二番目の印は梵字（サンスクリットの種子）に由来し、三番目の印は五つの漢字をつなぎ合わせて短くしたもので、呪文と呼ばれます（マジックフォーミュラ）。（アジャバのコメント：シズコに海外で使われている印を小川先生に見てもらうよう指示しておいた。おおかたは同じだとのお答えだった）

Q　マスターシンボルの由来についてはどうでしょう？（シズコは書いて見せた）

A　見たことありません。

Q　学会の伝統において、秘密と見なされるものは何でしょうか？　学会内に留めておくべき秘密や、部外者には知らせないような秘密事項がありますか？

A　生徒はレベルに応じて、印やテクニックを授けられます。その意味では、それらは秘密とは言えません。が、印は生徒以外の人たちには絶対に知られてはならない秘密です。

一般的な質問

Q　小川先生は靈氣をどう捉えていますか？

A　招福の秘法、万病の靈薬。

Q　靈氣は選ばれた者だけができるものですか、または万人を利するものですか？

A　誰でもできます。

Q　大学卒業資格の必要性や年齢制限などはありますか？　スピリチャルな才能が求められますか？

A　いいえ。

Q　日本や海外での靈氣人口は？　靈氣に正しいやり方、間違ったやり方があると思われますか？　どうしてそう思われるのですか？

A　学会の会員数が五百人ということしか知りません。西洋から入ってきたレイキの方はどんどん広まっているようですが、数については分かりません。靈氣はひとつだけです。(アジャバのコメント：靈氣という漢字の意味を思い出すなら、このコメントに頷けるはずだ。日本の靈氣を行っている人は誰もが同じことを言っていた、靈氣は生得のものだと)

Q　癒しとは何でしょう？　癒しは体からもたらされますか、それとも心や感情からですか？　心身と感情はひとつのものですか？　靈氣は人の健康にどう影響しますか？

A　癒しは、心から始まります。靈氣とは内面の浄化であり、あなたの性格に働きかけます。私は九十歳ですが。

Q　海外でレイキの名の下に何が起きているがご存知ですか？　ある大きな組織がレイキ、ウスイ、ウスイシキリョウホウ、という言葉を商標登録したことを知っていますか？

A　信じられないことです。

Q　今までに外国人のレイキティーチャーと面識を持ったことがありますか？

A　はい、一九八四年に三井三重子さんというラディアンステクニックの方が、ニューヨークから来日され、訪問を受けました。

Q　『誰でもできる靈氣』という題で著書をものされたと聞きました。私の出版社がそれに興味を持っていますが、出版されてはいかがでしょうか。

A　ご親切にありがとうございます。でも、出版するつもりはありません。

山口千代子先生へのインタビュー

二〇〇〇年に僕が初めて千代子先生にお会いして以来、息子さんの忠夫先生と僕はある本のプロジェクトを計画していた。そのひとつは千代子先生へのインタビューを本にしようというもので、インタビューは二〇〇〇年の後半に行われた。僕たちはお茶を囲んでいっしょに座り、テープレコーダーにインタビューの内容を録音した。

この本の企画は実現しなかったが、最近になって『This is Reiki』のなかにインタビューを掲載してもいいかどうかと忠夫先生に打診したところ快諾をいただき、ここに発表する運びとなった。これ以上皆さんの目の及ばない所に放置しておきたくないという思いに駆られてのことだ。林先生に関する情報は不完全なものだったが、忠夫先生が後にこつこつと補ってくださった。

Q　いつどこで生まれましたか？

A　一九二一年十二月十八日、京都で生まれました。

Q　ご両親の名前をおしえてください。

A　父は岩本寅作、母は岩本トキといいます。

Q　**兄弟姉妹は何人いますか？　皆さんの名前を聞いていいですか？**

A　全員で七人です。長兄は正信、長姉は勝江、その次に登、義雄、私、久子、時次郎と続きます。上の二人は大阪の堺で、他は京都で生まれました。

Q　**伯父叔母に育てられましたか、または祖父母に育てられましたか？**

A　祖母の大きな愛情に包まれて育ちました。

Q　**お父さんの職業は何でしたか？**

A　京都で雑貨屋を営んでいました。

Q　**お母さんは何をされていましたか？**

A　主婦でした。

Q　**教育はどこで受けましたか？**

A　小学一年生は京都の学校でした。二年生と三年生の間は、母方の叔父の菅野和三郎と大阪で暮らしていました。学校名は帝塚山学園です。四年生は、石川県の大聖寺キンジョウ小学校に通い、嫁ぐまでそこで暮らしました。小学校を終えると、大聖寺女学校へ進学し、潮家で大きくなりました。祖母の名は、潮ミスです。

Q　**どんな少女でしたか？**

A　そうですね、素朴でおおらかで、個性の強い子どもだったと思います。何度も転校しましたが、すぐに友だちを作れるような子でした。

Q　**女学校を卒業したのは何歳のときですか？**

A　十七歳でした。

Q　**卒業は何をしていましたか？**

A　祖母は昔気質の女性でしたが、それでも、孫娘が高い教育を受けたことを喜んでいました。卒業してから二年間ほどは、和服の仕立てを学んだり、茶道や生け花を習ったりしていました。

Q　**いつ、どのように靈氣のことを知りましたか？**

A　養父で叔父の菅野が大阪で靈氣を学んだと聞かされ、その瞬間に何かピンとくるものがありました。（アジャバのコメント：菅野和三郎は一九二八年に初伝と奥伝を林先生から大阪で習っている）

Q　**靈氣を実践している親戚は何人ほどいますか？**

A　叔父叔母、姉と兄（勝江とヨシオ）が靈氣を学びました。それから、何人かの従姉妹たちとその連れ合い、ご近所の方たちもセミナーに参加しました。

Q　**そのうちの何人ぐらいが、施術を続けていますか？**

A　養父母だった叔父叔母は商いで成功し、裕福でしたし、兄と姉、そして私はまだ未婚でしたから、施術するゆとりがありました。従姉妹のひとりと連れ合いは、田舎で繊維の工場をやっていました。そうですね、従姉妹や兄、姉を入れて、七人か八人が熱心に施術をしていました。

Q　**戦時中はどこにお住まいでしたか？**

A　満州です。

Q　**戦後はどうされましたか？**

A　戦後は引き上げて、夫の家族のいる大聖寺菅生町で暮らしました。

Q　**ご主人の名前は何と言いますか？　結婚されたのはいつですか？**

A　山口庄介と言います。結婚したのは昭和十七年（一九四二年）二月、満州に発つ前でした。終戦までそこにいました。

Q　**ご主人の職業は何でしたか？**

A　大倉洋紙店という大きな企業の社員でした。

Q　**ご主人も靈氣をされましたか？**

A　はい、していました。菅野夫人から初伝を学びました。結婚する少し前のことです。叔母から個人的に、ほんの初歩だけを習いました（千代子先生とご主人はどちらも菅野家と血がつながっている）夫は私ほどには上達しませんでした。

Q　**人生の生き方に靈氣はどんな影響を及ぼしましたか？　ご自分と他の人たちを、どう捉えていますか？**

A　私は患者さんたちから人生を学んできました。今もそうです。

Q　**靈氣は幸福感や人生の深みや自分への自信をもたらしますか？**

A　私はいつでも患者さんたちに最善をもって尽くしています。皆さんがそれで喜んでくださることが、私の歓びにつながります。靈氣を学ばせてもらったこと、今まで長い間施術ができたことを、心から感謝しています。

Q　自己靈氣をされることはありますか、どのぐらいの間かけますか？

A　靈氣を習って以来欠かさず毎日、時間が許す限り、自分に靈氣をかけています。年をとると時間がありますので、休憩の時にはいつも自分にかけます。眠れない夜などは、二、三時間もかけることがあります。年とともに、もっと自分にかけるようになりました。ですが、人にかけてもらう方がよく効きます。

Q　ご主人との夫婦関係に靈氣はどう作用しましたか？

A　夫には毎日靈氣をかけました。戦争で致命的な傷を負いましたが、靈氣のおかげさまで治療してあげることができました。深刻な状態にならずに済んだのです。病院通いをしなくていいのがどんなに助かったか、しかも人の手を借りずに済んだのですから。そのことを皆さんが口伝えに伝えてくださって、多くの方たちを治療することになりました。夫はそのことに協力的でした。

Q　靈氣が家族に与えた効果は何ですか？

A　靈氣を習わせてもらったおかげで、四人の子どもたちを心静かな人格に育て上げることができました。子育ての間中、いつも靈氣に支えられ、助けられているように感じていました。

Q お孫さんたちはいかがですか？

A 孫たちも靈氣が大好きで、治療して欲しいときは私を頼って来ます（お孫さんたちは全員、千代子先生から靈授を受けている）

靈氣が仕事に与えた影響は？

Q 生涯を通じて靈氣を実践してきましたか？

A かれこれ六十年以上も実践しています。年をとるにつれ、靈氣はますます強くなっています。高齢になっても靈氣は強さを増すんです。患者さんたちも私も、その恩恵に与《あずか》っています。口コミでどなたかがみえるたびに、その方を施術してきました。

Q 靈氣はお仕事と考えていいですか？　週にしてどのぐらいの時間を施術に費やしていますか？

A 靈氣を商売にしたことはありませんが、毎日どなたかに施術してきました。振り返ってみると、人生の相当の時間を靈氣に使ってきたようです。ご近所で火傷をした方がいれば、治るまで毎日、何週間も施術したものです。

Q　**施術の頻度についておしえてください。**

A　私の経験では、例えば火傷の場合などは、重症でも毎日少なくとも一時間、二週間ほど続けるとすっかり良くなります。軽い火傷なら一週間でしたね。家業の都合に合わせて施術の予定を立てていました。（アジャバのコメント：千代子先生は文房具屋を営んでいて、施術はお客さんのいない時に行っていた。お客さんが来ると施術を中断し、お客さんが帰ると再開するという具合だった）
週に五回から六回も通ってみえる患者さんもいましたし、週に一回の方も、月に一回の方もありました。施術の量については、これといった決まりがなく、人によってさまざまです。どの方にも当てはまるのは、病腺がなくなるまで続けるということ。施術の頻度や長さは、病腺の状態に応じて自然に決まるのです。患者さんのお具合が良くなったら、施術は終了です。私の患者さんたちは、さあ今日で終わりです、と私が言うまで通って来られました。

林先生についての質問

Q　**林先生のご家族について何かご存知ですか？**

A　個人的に奥様の智恵先生を知っています。お子さんがいました。知っていることはそのぐらいです。

Q　林先生が信仰していたのは（仏教の）どの宗派かご存知ですか？

A　分かりません。

Q　生まれた場所、ご両親の名前、出身校をご存知ですか？

A　いいえ、知りませんが、今調べているところです。出身地は新潟県です。

Q　叔父さんはどうして靈氣に興味をもたれたのですか？

A　色々なことに関心のある人でしたし、精神世界に興味を持っていました。

Q　林先生のことはどこでお聞きになったのでしょう。

A　分かりません。

Q　林先生をどのようにサポートしていましたか？

A　靈氣のパワーに確信を持っていましたから、そのことを多くの人々に伝えることで協力していました。

Q　**いつ、そしてどのような形で林先生に会いましたか？**

A　大聖寺で初めてお会いしました。叔父が手配した講習会を開くためにいらっしゃったのです。

Q　**林先生から指導を受けたのはいつですか？**

A　昭和十三年の四月に先生の靈授会に参加しました。

Q　**その靈授会のことをお話いただけますか？**

A　林先生の第一印象は、背が高く着こなしが素敵だということでした。教養が感じられました。海軍の士官だったそうです。崇敬の念でいっぱいになりました。人間は万物の靈長であるから、それにふさわしく行動しなければならない、と何度も繰り返しおっしゃいました。

Q　**講習会には何人ぐらいの生徒が参加していましたか？**

A　十人でした。

Q　**何日間行われましたか？**

A　五日間でした。午前中は十時から十二時まで、それから昼ご飯の休憩をはさんで、午後の五時ごろまで続きました。私も五日間参加し、初伝と奥伝を習いました。

Q　参加費はいかほどでしたか？

A　初伝、奥伝合わせて五十円でした。

Q　今の貨幣価値にしてどのぐらいでしょうか？

A　当時は、教師の月給が三十円でしたから、今に換算すると四十万から五十万ではないでしょうか。大変な高額でした。しかも、五日間仕事を休まなければなりません。とうてい普通の人たちにできることではありません。当然のことですが、生徒さんたちは限られた階層の人たちでした。おまけに、参加者は林先生か菅野の知人から正式に紹介されていなければなりませんでした。紹介者があるかないかが、とても大きな条件だったのです。

Q　初伝と奥伝はいっきに学んでしまうことができましたか、または、奥伝に進む前に待たされる人たちもいましたか？

A　受け入れられるのは容易ではありませんでした。

Q　師範になることは可能でしたか?

A　当時、師範はふたりだけでした。林先生と叔父です。

Q　師範になるための必要条件は何でしたか?　試験のようなものはありましたか?

A　叔父は大変力のある協力者でした。(アジャバのコメント：後に調べて分かったのは、師範を希望する者は靈氣を人々に広め、師のために講習会を手配することを求められていた。師による公の訓練はなく、個人的に行われていた)

Q　師範になるための費用はどのぐらいでしたか?

A　費用はかかっていたのでしょうが、金額のことは知りません。

Q　師範の資格を得た人は、すぐに教えるのを許されていましたか?

A　師範は、自分の講習会を開く前に、まず林先生のお手伝いをするのが決まりでした。

Q　林先生が講習会を開いていた場所はどこですか?

A　親類の家で開かれたこともありましたし、私の家で行ったこともあります。広い部屋でなければならないので、裕福な人たちの大きな家が使われていました。

Q　講習会の日程はどのようでしたか？　何日間で何時間学びましたか？

A　五日間にわたり、毎日六時間、三時間は講義、三時間は靈氣の練習、費用は五十円でした。

Q　林先生には何度ぐらい会いましたか？

A　十五回から二十回ほどです。

Q　どんな人柄の方でしたか？　気さくな方か、謹厳な方か、ユーモアを解する方か、生真面目か、愉快な方か？

A　立派な方でした。威厳と信頼感がありました。雲の上の存在だったのです。背が高くハンサムで、知性にあふれた誠実そのものの方でした。

Q　奥さんの智恵さんはどんな方だったでしょうか？

A　優しくて親切で、とても良い女性でした。

Q　林ご夫妻のどちらかと何か話したことはありますか。どんな些細なことでもいいので、おしえてください。

A　まだ女学生だった私は、物怖じしてとてもお話などできませんでした！

Q　林先生は何人の師範を養成しましたか？　一九三八年には十三人の師範が育っていたと聞いていますが。それは高田先生の認定証に書かれていた数字です。師範の方たちの名前はご存知ですか？

A　たしか、私たちの周りでは四人だったと記憶しています。そのうちふたりは私の叔父と叔母、他の師範の名前は知りません。

Q　初伝と奥伝修了者と師範の間には、はっきりとした上下関係がありましたか？

A　石川県ではそういうことはありませんでした。靈氣は宗教とは違います。

Q　林先生はひとりで指導に当たっていましたか、それともアシスタントがいましたか？

A　先生は春と秋の二回やって来られました。亡くなった後は奥さまの智恵さんが引き継いで来られました。いつもひとりで旅をされていましたが、現地の協力者たちがアシスタントの役目もしていました。

Q　林先生は頻繁に地方を回っていましたか？

A　よく旅されていましたが、他にどこを回っておられたかは知りません。（アジャバのコメント：後に忠夫先生が調べたところによると、林先生は多くの他県でも教えていた）

Q　林先生は靈授をひとりでしましたか、それとも何人かの師範と共にされていましたか？

A　靈授はいつも林先生と叔父のふたりでされていました。

Q　林先生は臼井靈氣療法学会から独立したのは、いつのことですか？

A　私が知っているのは、林先生から学会のことを聞いたということだけです。

Q　生徒さんたちはどんな人たちでしたか？　社会的な地位はどの程度でしたか？

A　大聖寺の参加者は裕福な人たちでした。商人、（豊かな家庭の）主婦、産婆さんなどでした。他の場所ではどうだったのかは、分かりません。

Q　その中には著名人はいましたか？

A　石川県にはいませんでした。

Q　林先生の仕事場所はどこでしたか？

A　先生は東京から石川県を訪ねてこられた、私が知っているのはそれだけです。

Q　先生は西洋医学による医療行為をされていましたか？

A　先生は医科学に理解を示し、温熱療法もされていました。

Q　**海軍を退役したあとは、靈氣のみに従事していましたか？**

A　私の知る範囲では、靈氣のみでした。

Q　**先生の自殺の理由をご存知ですか？**

A　先生は人類の公益に殉じておられました。万人を癒していましたが、戦時下では人を殺めなければなりません。士官としては他の選択肢はありませんでした。自分の命を絶つこと以外には。

Q　**林靈氣研究会を引き継いだのはどなたでしたか？**

A　先生の死後は奥さんの智恵さんが引き継ぎました。この一事でも分かるように、高田先生と林先生の間には何も個人的な関係はありませんでした。智恵先生も何もおっしゃっていませんでした。
（アジャバのコメント：林先生と高田先生の情事が原因で自殺を招いたとしたら、智恵先生が研究会を受け継いだはずはないだろう）

Q　**研究会の活動はその後どうなりましたか？**

A　智恵先生が会長に就任しましたが、その頃私たちは満州に移り住んでいましたので、どうなったかは分かりません。

Q　林先生か智恵先生、あるいは他の師範から直々に教授され、今でも存命の方をどなたか知っていますか？

A　いいえ知りません。当時師範になった人たちは、今でも家庭で家庭医療として靈氣を使っているに違いありません。ただし、公に活動している例を私は知りません。

Q　印はどの段階で伝授されましたか？

A　ひとつは初伝で、あとのふたつは奥伝で教授されました。

Q　遠隔はいつ教えられましたか？

A　講習会の最終日です。

Q　林先生は講習会の宣伝をされましたか？　もしそうなら、どのような形でしたか？　または、口コミだけでしたか？

A　参加するには、グループの誰かからの紹介が必要でした。そうすることで、お互いの信頼関係ができ、講習会への参加が許可されました。すべては口コミでした。

Q　林先生は公で靈氣や他のことについての講演会をしていましたか？

A　靈氣の施術はされましたが、講演会をしていたとは思いません。

（インタビュー終了）

感謝の言葉

数えきれない人々が、この本を世に送り出してくれた。

諸先生方と生徒さんたち、僕の読者諸氏、見解の相違を超えて協力いただいた諸兄諸姉、そして家族。積極的に尽力してくださった方々はむろんのこと、意図せずに関わることになった方々も含めた全ての皆さんに、この場を借りて深く感謝を申し上げたい。

いつだって僕の心の支えです、母のローズマリー。天国から僕を導いてくれたね、父のハンス・ゲオルグ・ペッター。

魂の父であり恩師のオショウ。レイキへの情熱を灯してくれた、兄のラジ・マルティン。前妻のチェトナ・マミ・小林。臼井靈氣療法学会に導いてくれたシズコ・アキモト。臼井先生の写真の提供者大石つとむさん。貴重な情報の提供者、小川二三男先生。苫米地義三氏の絶版の書をくださった仁科まさきさん。レイキ界に僕の名を刻んでくれたウォルター・ルーベック。苦労時代の援助を忘れない、ウィリアム・リー・ランド。アゲとウンメシャには、高田先生系列のティーチャートレーニングで、三十年間お世話になった。外国人の僕を弟子にしてくださった山口千代子先生。ご子息の忠夫先生の篤い信頼と友情、結実した協力体制、惜しみない努力に心からの賛辞を。直傳靈氣研究会の屋台骨、寺中英子さん、廣田郁子さん、荒川ひろ子さん。荒川さんには、本書の毛筆を担当していただいた。マリー・ホール、拙著『レイキファイヤー』を最初に褒めてくれたのは、あなただった。日本語資料の英訳者、佐藤あきこさん。ズィルカ・クリーマン、きみの独創的なアイデアと校正技術が、ドイツ語のオリジナルを世に送り出した。校正に関わったカレン・ペリー、きみのマジックダストがなければ、僕自身による英訳は成功しなかっただろう。

ドイツの出版者、モニカとウルフガング、長年にわたり誠心誠意僕を支えてくれた。この夢のプロジェクトを実現させた出版社の皆さん。

レスボス島エレソスでカフェを営むゾルバ、きみのカフェが僕の「書斎」だったね。

最後に、妻のバクティ、娘のクリスティーナ、息子のアレクシス、この本の執筆、校正、翻訳の間、無我夢中だった僕を温かく見守ってくれた、ありがとう。

BOOK Collection

愛と才能と豊かさに目覚める! 奇跡を起こす

書籍　エンパシーアロマ教室

新時代のアロマセラピー! 相手の身体·心·そして魂の領域に"共感=エンパシー"して大きな癒しを起こすエンパシーアロマッサージ&カウンセリング。大いなる宇宙と繋がり、精油と繋がり、五感でメッセージをキャッチしてセラピーを進めていきます。クライアントだけでなく、セラピストの身体と心、身体と心、魂の成長もサポートしてくれる奇跡のセラピー体験!

●山本愛子 著　●四六判　● 240 頁　●本体 1,600 円+税

音の力で幸運体質に!

書籍　全倍音セラピー CD ブック

ずっと抑えていたものを手放し心がラクに! 倍音のバイブレーションが直接細胞に響き、心とカラダの不調がなくなった! 日本発のヒーリング楽器『シンギング·リン』の奏でる全倍音は、幸せと自己実現をかなえる、世界で初めてのサウンドセラピーです。

●和真音 著　● A5 判 (CD 付き 40 分) ● 160 頁
●本体 1,500 円+税

未来を視覚化して夢を叶える!

書籍　魂の飛ばし方

タマエミチトレーニングというちょっと不思議な修行で世界が変わる!自分が変わる!面白いほど夢が叶う究極のイメージトレーニング法。記憶の逆まわし法·視覚の空間移動法·魂飛ばし法·夢見の技法·異邦人になりきる法·絵や文字による夢の物質化など、誰でもできる究極のイメージトレーニングで体外離脱×願望を実現。

●中島修一 著　●四六判　●192頁　●本体1,400円+税

人生を浄化する

書籍　パワーストーンと隕石の真実

オーラとチャクラが整い、体·心·魂がバージョンアップ! 鉱物療法としてのパワーストーンを選ぶ!身につける! 使う! この本では、マユリ自身がクリスタルセラピーのセッションを行い、パワーストーンを処方して、繰り返し実感したことのみをお伝えしています。

●マユリ 著　●四六判　● 256 頁　●本体 1,600 円+税

正答率 100% ダウジングで直観力を開く

書籍　速習! ペンジュラム

「あなたの潜在意識は実は全てを知っている」真実を可視化するペンジュラムで、最適な物·人·未来を選ぶ! この本では、石を使ったペンジュラム·ダウジングの手法を伝授。あなたの人生の新たな可能性の扉を開く、ペンジュラムワールドへようこそ!

●マユリ 著　●四六判　● 224 頁　●本体1,400円+税

BOOK Collection

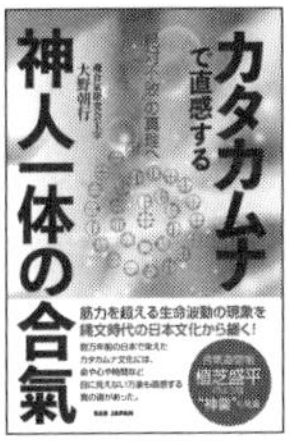

「絶対不敗」の真理へ

書籍　カタカムナで直感する神人一体の合氣

数万年前の日本で栄えたカタカムナ文化には、命や心や時間など目に見えない万象も直感する真の道があった。アワ性が豊かで決して争わなかった、上古代の日本人に学ぶ。縄文時代の日本文化を繙き、神と繋がる。筋力を使わず生命波動で転がす技は、まさに合氣道の神髄と一致していた。遠達性の力を体感できる姿勢・動き・技をイラストで解説!

●大野朝行 著　●四六判　● 236 頁　●本体1,500円+税

すぐできる! 魂の合氣術

書籍　「カタカムナ」の姿勢と動き

本来、体力に必要なのは、筋力や栄養ではなく、カムウツシ(命に必要な極微粒子を環境から体に取り入れること)だった。マノスベ(体で感受して、それに従った自然な動き)の状態なら、掴みかかってきた相手が勝手に崩れてしまう。運動力学を超えた不思議な技! 今の常識とは真逆の世界観と身体観で、合氣の技ができる!

●大野朝行 著　●四六判　● 224 頁　●本体 1,400 円+税

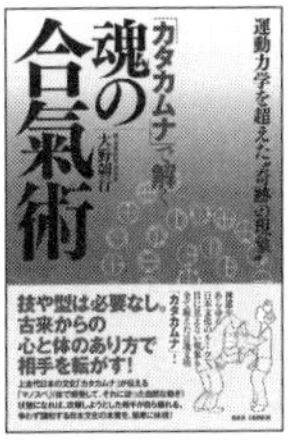

運動力学を超えた“奇跡の現象”

書籍　「カタカムナ」で解く 魂の合氣術

技や型は必要なし。古来からの心と体のあり方で相手を転がす! 上古代日本の文化「カタカムナ」が伝える「マノスベ」(体で感受して、それに従った自然な動き) 状態になれば、攻撃しようとした相手が自ら崩れる。争わず調和する日本文化の本質を、簡単に体現!

●大野朝行 著　●四六判　● 188 頁　●本体 1,400 円+税

にほんごってすごい!

書籍　はじめてのカタカムナ

「カタカムナ」「サヌキアワ」という言葉の響きがなぜか気になる方、「カタカムナ」を知りたいと感じるすべての方に向けた、「はじめてのカタカムナ」!　にほんごのもと「カタカムナ」には、女性の在り方や男女のパートナーシップ、子育てや暮らしの大切なヒントが隠されていた!

●板垣昭子 著　●四六判　● 256 頁　●本体 1,400 円+税

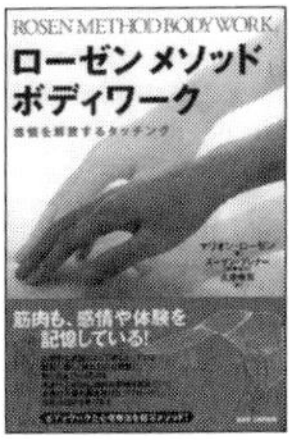

感情を解放するタッチング

書籍　ローゼンメソッド・ボディワーク

マリオン・ローゼンが、理学療法士としての経験をふまえて作り上げた、米国の代表的なボディワーク。心理的な原因によって硬くなっている筋肉に優しく触れて心の奥底に抱え込んでいるものを浮かび上がらせ、筋肉の緊張を緩めていきます。

●マリオン・ローゼン 著　●四六判　●232頁　●本体1,500円+税

BOOK Collection

「今ここ」で宇宙と繋がる名曲 63 選

書籍　バッハが導く内なる覚醒

音楽に宿る偉大なパワーで、誰でも意識を変容できる! マインドフルネスを、バッハの音楽を聴いてすぐ実感。今まで、スピリチュアル世界や自己啓発を学んでも、心の平安に至れなかった全ての人に贈る一冊。

●紙屋信義 著　●四六判　● 352 頁　●本体 2,000 円+税

みかんありさのインナージャーニー

書籍　私が生まれ変わるヒプノセラピー

ヒプノセラピーは「催眠療法」といわれ､「前世療法」ではこの催眠療法を使って、前世の記憶にアクセルします。実際にセッションを受けて人生を180度変えてしまった著者が、自身の体験をもとにヒプノセラピーを漫画とイラストでわかりやすく解説します。ヒプノセラピーで「内なる自分」を旅しよう。

●みかんありさ 著　● A5 判　● 192 頁　●本体 1,500 円+税

強運、金運、龍神を味方につける最幸の法則

書籍　強・金・龍

20 年でのべ 10 万人を鑑定! この世には成功か大成功しかない! 多くの悩める女性たちを光へ導いてきた竜庵先生が本気ぶっこいて語ります!! お金の流れは大きな運河。手を入れてすくい取るのよ!! 竜庵先生が、人生を大成功させている秘訣を語ります !!

●竜庵 著　●四六判　● 224 頁　●本体 1,500 円+税

親子、夫婦、友人、自分自身――本当に幸せな関係を築くために

書籍　すべては魂の約束

私たちの魂は、人との関係で何を学ぶのだろう? 精神世界を牽引してきた夫妻が語る人間関係に悩まされない極意!! 心を深く癒やし、気づきを得る書!

――すべては生まれる前から決まっていた。魂を輝かせるための約束――

●山川紘矢、亜希子 著　聞き手：磯崎ひとみ
●四六判　● 256 頁　●本体1,400円+税

カラダが変わる!ココロが変わる!人生が変わる!

書籍　気功で新しい自分に変わる本

自分を変えたい人のための「はじめての気功」。「気」とは、人間が生きていくうえで欠かせない「生命エネルギー」。元気でイキイキしている人ほどよい気が満ちています。気功をすると、「気」の流れがよくなって人生の流れが変わります。

●星野真木 著　●四六判　● 232 頁　●本体1,400円+税

This is 靈氣《レイキ》

その謎と真実を解き明かす、聖なるレイキの旅

著者

フランク・アジャバ・ペッター

Frank Arjava Petter

直傳靈氣研究会代表代行大師範。日本に残された靈氣の原点を探るため 2000 年に来日。直傳靈氣を伝える山口千代子に弟子入りし、直傳靈氣を授かった初期の欧米人として普及に尽力する。2002 年には師範格となり、2004 年ドイツで師範に、世界各地で直傳靈氣の普及活動を展開、活躍している。

訳者

高丸悦子

獨協大学英語学部卒。夫はカナダ人で、長女がカナダの大学院、長男がイギリスの高校にて勉学中。訳書、「聖杯王たちの創世記」清流出版より、ヘイグ悦子のペンネームで翻訳。直傳靈氣師範でドイツ、アメリカ、イギリスでのセミナーにも参加。自らもセミナーを行っている。

2014 年 8 月 13 日　初版第 1 刷発行
2023 年 12 月 10 日　初版第 3 刷発行

著　者　フランク・アジャバ・ペッター
発行者　東口 敏郎
発行所　株式会社ＢＡＢジャパン
〒 151-0073 東京都渋谷区笹塚 1-30-11 中村ビル
TEL　03-3469-0135　FAX　03-3469-0162
URL　http://www.bab.co.jp/　E-mail　shop@bab.co.jp
郵便振替 00140-7-116767
印刷・製本　株式会社シナノ

ISBN978-4-86220-854-5 C2077

■ Cover Design&Design ／梅村昇史
■ Design&Editor ／ Sugar☆友香
■ Special Thanks ／山口忠夫